Anglais

guide de conversation

Berlitz Publishing/APA Publications GmbH & Co. Verlag KG,
Singapore Branch, Singapore

ISBN 981-246-135-3

Imprimé à Singapour par Insight Print Services (Pte) Ltd.,
38 Joo Koon Road, Singapore 628990

Table des matières

Voyage 65

Visites Touristiques 97

Loisirs 108

Magasins et Services 129

Urgences/Santé! 161

Lexique Français–Anglais 169

Lexique Anglais–Français 202

Général 216

Prononciation

La langue anglaise

L'anglais est la deuxième langue parlée au monde comme langue maternelle après le chinois, et c'est aussi la langue la plus importante du monde commercial. Elle est parlée dans les pays suivants (chiffres approximatifs) et aussi par 100 millions de personnes comme langue étrangère.

United Kingdom (Great Britain) Royaume Uni (Grande Bretagne)

L'anglais est parlé par la quasi-totalité de la population (58 millions). Autres langues: le gallois au pays de Galles.

United States and Canada Etats-Unis et Canada

L'anglais est parlé par la quasi-totalité de la population (Etats-Unis: 269 millions; Canada: 29,6 millions). Autres langues: le français (environ 7 millions au Québec et l'autre langue du Canada); l'espagnol (environ 18 millions d'habitants aux Etats-Unis).

On peut utiliser ce guide de conversation aux Etats-Unis, mais pour l'anglais et l'information se rapportant spécifiquement à l'américain, voir *Berlitz Américain: Guide de Conversation.*

Australia and New Zealand Australie et Nouvelle-Zélande

L'anglais est la langue des 21,6 millions d'habitants (Australie: 18 millions; Nouvelle-Zélande: 3,6 millions). Il y a quelques petites différences entre la langue britannique et australienne, mais on peut utiliser ce guide de conversation sans poblèmes dans ces pays.

Prononciation

Il n'y a pas de règle absolue quant à la prononciation de l'anglais. Il existe toutefois des principes de base qui'il faut connaître si l'on veut se faire comprendre d'un interlocuteur britannique. Pour vous aider à prononcer les phrases de ce guide, vous trouverez ci-après des explications sur les sons anglais, ainsi que les symboles que nous avons adoptés pour les représenter. Lisez les transcriptions comme si c'était du français, en tenant compte des indications ci-dessous. Il s'agit d'une transcription phonétique simplifiée, donc approximative.

- Les sons **th**, **h** et **r** sont particulièrement difficiles en anglais, car ils n'ont pas d'exact équivalent en français.
- Il n'y a pas de diphtongues nasales en anglais («on», «in», «en», «un», etc.). Toutes les lettres se prononcent: **on** (sur) se prononce «onn» (comme dans «**tonn**e» et non comme le «on» français).
- Toutes les lettres se prononcent en finale, excepté le **e** muet.
- L'ajout d'un «:» après une voyelle signifie que le son doit être prolongé.

Note: Tout au long du livre, les syllabes accentuées ont été soulignées; elles sont émises avec plus de force.

Voyelles

Son	Prononciation	Exemple	
æ	se prononce entre le **a** de patte et le **è** de mère	**can** **cat**	*kæn* *kæt*
a	le son exact se situe entre le **a** de lac et le **œu** de bœuf	**come**	*kam*
a:	comme dans **â** de pâte, mais un peu plus long	**car** **far**	*ca:r* *fa:r*
aï	comme dans **ail**	**fine** **mind** **my**	*faïn* *maïnd* *maï*
aou	comme c**aou**tchouc	**pound**	*paound*
au	comme dans s**au**mon, légèrement et plus long	**no**	*nau*
è	comme dans **è** de pèse	**bed**	*bèd*
è:	son prolongé, come **è** dan mère	**fair**	*fè:r*
éi	comme dans v**ei**lle	**fate** **date**	*féit* *déit*
eu	son peu prononcé, proche du **e** de lend**e**main	**bigger**	*bigheu*
eu:	son prolongé, comme **eu** dans l**eu**r	**work**	*oueu:rk*
i	**i** court, comme dans pique-nique	**pig**	*pig*
i:	**i** long, comme dans N**î**mes	**evil**	*i:veul*
ou	comme **ou** dans c**ou**c**ou**	**pull**	*poul*
ou:	son prolongé, comme dans L**ou**vre	**soon**	*sou:n*
o	comme **o** dans car**o**tte	**not** **soft**	*not* *soft*
o:	comme **o** dans d**o**rmir, mais plus long	**for**	*fo:r*
oï	comme dans M**oï**se (en insistant moins sur le «i»)	**boy**	*boï*
you:	comme **iou** dans s**ioux**	**fuse**	*fyou:z*
y	comme **y** dans **y**aourt	**yes**	*yèss*

Consonnes

La majorité des consonnes se prononcent comme le français (b, c, d, f, k, l, m, n, p, t, v, x, z). Voici cependant quelques cas particuliers:

tch	**tch** se prononce comme **tch**èque	**cheap** **rich**	*tchi:p* *ritch*
dj	g (généralement devant «e», «i», «y») et **j** se prononcent comme dans **Dj**ibouti	**gin** **juice** **jam**	*djinn* *djou:ss* *djæm*
g	comme dans **g**are	**god** **great**	*god* *gréit*
h	Le **h** anglais n'est presque jamais muet (sauf dans *hour, honour, heir*). Il se prononce en expirant légèrement.	**hill** **have**	*hil* *hæv*
nn	**n** se prononce comme dans **n**i	**bend**	*bènnd*
nng	**ng** se prononce comme dans campi**ng**	**ring** **song**	*rinng* *sonng*
kou	**qu** se prononce comme un **k** suivi d'un **ou** faible	**quick**	*kouik*
r	Le **r** est différent du son français. Il n'est ni roulé ni guttural; il se rapproche plus du «w» de **W**aterloo.	**red**	*rèd*
z	comme le **s** de ro**s**e	**his**	*hiz*
s/ss	comme le **s** de **s**ec	**say** **yes**	*séi* *yèss*
j	**si** ou **su** dans un mot se prononce comme un «j» français	**vision** **usual**	*vijeun* *you:joueul*
ch	**sh** comme **ch**er**ch**er	**ship** **fish**	*chip* *fich*
	t peut aussi se prononcer comme le **ch** de **ch**ercher	**station**	*stéicheun*
TH	Le son **th** n'existe pas en français. Il s'émet en mettant la langue entre les dents et en zézayant.	**tooth**	*tou:TH*

DTH	son qui s'émet en zézayant comme **TH**, mais qui se rapproche un peu du «d»	**this** **that**	*DTHis* *DTHæt*
w/ou	**w** se prononce comme **ou** dans **ou**ate ou **w** dans **w**hisky	**well** **when** **would**	*ouèl* *ouènn* *woud*

Prononciation de l'alphabet anglais

A	*éi*	**N**	*èn*
B	*bi:*	**O**	*o:*
C	*si:*	**P**	*pi:*
D	*di:*	**Q**	*kyou:*
E	*i:*	**R**	*a:r*
F	*èf*	**S**	*èss*
G	*dji:*	**T**	*ti:*
H	*éitch*	**U**	*you:*
I	*aï*	**V**	*vi:*
J	*djéi*	**W**	*dabeulyou:*
K	*kéi*	**X**	*èks*
L	*èl*	**Y**	*ouaï*
M	*èm*	**Z**	*zèd*

Expressions Courantes

L'ESSENTIEL

Oui.	**Yes.** *yèss*
Non.	**No.** *nau*
D'accord.	**Okay.** *aukéi*
S'il vous plait.	**Please.** *pli:z*
Merci (beaucoup).	**Thank you (very much).** *THænk you: (vèri match)*

Salutations/Excuses Greetings/Apologies

Bonjour!/Salut!	**Hello!/Hi!** *hèlau/haï*
Bonjour.	**Good morning/afternoon.** *goud mo:ninng/a:fteunou:n*
Bonsoir.	**Good evening.** *goud i:vninng*
Bonne nuit.	**Good night.** *goud naït*
Au revoir.	**Goodbye.** *goudbaï*
Excusez-moi!	**Excuse me!** *ikskyou:z mi:*
Pardon!/Désolé(e)!	**Sorry!** *sori*
Pardon?	**What did you say?** *ouat did you: séi*
Je ne l'ai pas fait exprès.	**It was an accident.** *it ouaz eunn æksideunnt*
Je vous en prie.	**Don't mention it.** *daunt mèncheunn it*
Ça ne fait rien.	**Never mind.** *nèveu maïnd*

PRESENTATIONS ➤ 118

Problèmes de communication
Communication difficulties

Parlez-vous français?	**Do you speak French?** *dou: you: spi:k frèntch*
Y a-t-il quelqu'un ici qui parle français?	**Does anyone here speak French?** *daz <u>è</u>niouann hieu spi:k frèntch*
Je ne parle pas (beaucoup) anglais.	**I don't speak (much) English.** *aï daunt spi:k (match) <u>inng</u>lich*
Pourriez-vous parler plus lentement?	**Could you speak more slowly?** *koud you: spi:k mo: <u>slau</u>li*
Pourriez-vous répéter ça?	**Could you repeat that?** *koud you: ri<u>pi:t</u> DTHæt*
Qu'avez-vous dit?	**What did you say?** *ouat did you: séi?*
Pourriez-vous l'épeler?	**Could you spell it?** *koud you spèl it*
Pourriez-vous l'écrire, s.v.p.?	**Could you write it down, please?** *koud you raït it daoun, pli:ze?*
Pourriez-vous me traduire ça?	**Could you translate this for me?** *koud you træns<u>léit</u> DTHis fo: mi:*
Qu'est-ce que ça veut dire?	**What does this/that mean?** *ouat daz DTHis/DTHæt mi:n*
Pourriez-vous me montrer l'expression dans le livre?	**Please point to the phrase in the book.** *pli:z poïnt tou DTHeu fréiz inn DTHeu bouk*
Je comprends.	**I understand.** *aï anndeu<u>stænd</u>*
Je ne comprends pas.	**I don't understand.** *aï daunt anndeu<u>stænd</u>*
Est-ce que vous comprenez?	**Do you understand?** *dou: you: anndeu<u>stænd</u>*

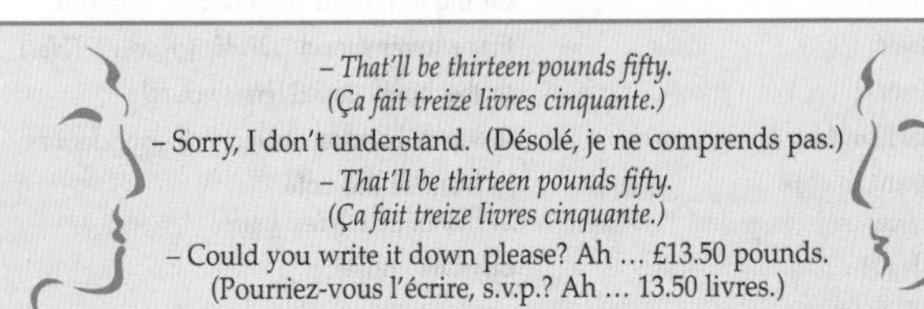

– That'll be thirteen pounds fifty.
(Ça fait treize livres cinquante.)
– Sorry, I don't understand. (Désolé, je ne comprends pas.)
– That'll be thirteen pounds fifty.
(Ça fait treize livres cinquante.)
– Could you write it down please? Ah … £13.50 pounds.
(Pourriez-vous l'écrire, s.v.p.? Ah … 13.50 livres.)

Questions Questions

GRAMMAIRE

L'interrogation se forme avec l'auxiliaire **do/does** + sujet + infinitif.

He likes her. Does he like her?	Il l'aime. Est-ce qu'il l'aime?
You see him. Do you see him?	Tu le vois. Est-ce que tu le vois?

Avec les auxiliares, par exemple être (**to be**), avoir (**to have**), et pouvoir (**can**) on inverse la position du verbe et du sujet:

Are you sure?	Etes-vous sûr?
Have you seen him?	L'avez-vous vu?
Can you help me?	Pouvez-vous m'aider?

Où? Where?

Où allez-vous?	**Where are you going?** *ouè: a: you: gau:inng*
Où est-ce?	**Where is it?** *ouè: iz it*
au point de rendez-vous	**at the meeting point** *æt DTHeu mi:tinng poïnt*
en bas	**downstairs** *daounstè:z*
en France	**in France** *inn fra:nss*
ici	**here** *hieu*
dans la voiture	**in the car** *inn DTHeu ka:*
en Angleterre	**in England** *inn inngleunnd*
à l'intérieur	**inside** *innsaïd*
près de la banque	**near the bank** *nieu DTHeu bænk*
à côté des pommes	**next to the apples** *nèkst tou DTHeu æpeulz*
en face du marché	**opposite the market** *opeuzit DTHeu ma:kit*
à gauche/à droite	**on the left/right** *onn DTHeu lèft/raït*
là-bas	**there (over there)** *DTHè: (auveu DTHè:)*
à l'hôtel	**to the hotel** *tou DTHeu hautèl*
vers Londres	**towards London** *teuouo:dz lanndeunn*
devant le café	**in front of the café** *in fronnt of DTHeu kæféi*
en haut	**upstairs** *apstè:z*

Quand? When?

Quand le musée est-il ouvert? **When does the museum open?** *ouèn daz DTHeu myou:zieum aupeunn*

A quelle heure arrive le train? **When does the train arrive?** *ouèn daz DTHeu tréinn euraïv*

il y a 10 minutes **ten minutes ago** *tèn minits eugau*

après le déjeuner **after lunch** *a:fteu lanntch*

toujours **always** *o:louéiz*

vers minuit **around midnight** *euraound midnaït*

à 7 heures **at seven o'clock** *æt sèveunn eu klok*

avant vendredi **before Friday** *bifo: fraïdi*

pour demain **by tomorrow** *baï teumorau*

tôt/de bonne heure **early** *eu:li*

chaque semaine **every week** *èvri oui:k*

pendant 2 heures **for two hours** *fo: tou: aoueuz*

de 9h à 18h **from nine a.m. to six p.m.** *from naïn éi èm tou siks pi: èm*

tout de suite **immediately** *imi:dieutli*

dans 20 minutes **in twenty minutes** *inn touènti minits*

jamais **never** *nèveu*

pas encore **not yet** *not yèt*

maintenant **now** *naou*

souvent **often** *ofeunn*

le 8 mars **on March the 8th** *onn ma:tch DTHi éith*

pendant la semaine **on weekdays** *onn oui:kdéiz*

quelquefois **sometimes** *samtaïmz*

bientôt **soon** *sou:n*

alors/ensuite/puis **then** *DTHèn*

en 2 jours **within two days** *ouiDTHinn tou: déiz*

Quelle sorte de ...? What sort of ...?

Je voudrais quelque chose de ...	**I'd like something ...** *aïd laïk samTHinng*
C'est ...	**It's ...** *its*
agréable, beau/ désagréable	**pleasant, nice/unpleasant** *plèzeunnt, naïss/annplèzeunnt*
beau/laid	**beautiful/ugly** *byou:tifeul/agli*
bon marché/cher	**cheap/expensive** *tchi:p/ikspènsiv*
bon/mauvais	**good/bad** *goud/bæd*
chaud/froid	**hot/cold** *hot/kauld*
délicieux/dégoûtant	**delicious/revolting** *dilicheuss/rivaulting*
étroit/large	**narrow/wide** *nærau/ouaïd*
facile/difficile	**easy/difficult** *i:zi/difikeult*
grand/petit	**big/small** *big/smo:l*
jeune/vieux	**young/old** *yanng/auld*
juste/faux	**right/wrong** *raït/ronng*
libre/occupé	**vacant/occupied** *véikeunnt/okyoupaïd*
lourd/léger	**heavy/light** *hèvi/laït*
mieux/pire	**better/worse** *bèteu/oueu:ss*
moderne/démodé	**modern/old-fashioned** *modeunn/auld-fæcheunnd*
ouvert/fermé	**open/shut** *aupeunn/chatt*
propre/sale	**clean/dirty** *kli:n/deu:ti*
rapide/lent	**quick/slow** *kouik/slau*
silencieux/bruyant	**quiet/noisy** *kouaïeutt/noïzi*
sombre/clair	**dark/light** *da:k/laït*
vide/plein	**empty/full** *èmpti/foul*
vieux/neuf	**old/new** *auld/nyou:*

GRAMMAIRE

L'article défini (le, la, les) a une seule forme: **the**

the room, the rooms	la chambre, les chambres

L'article indéfini (un, une, des) a deux formes: **a** s'emploie devant une consonne, **an** devant une voyelle ou un «h» muet.

a coat, an umbrella, an hour	un manteau, un parapluie, une heure

Some indique une quantité ou un nombre indéfini:

I'd like some water, please.	Je voudrais de l'eau, s.v.p.

Any s'emploie dans les phrases négatives et différents types d'interrogatives.

There isn't any soap.	Il n'y a pas de savon.
Have you got any stamps?	Avez-vous des timbres?

Combien? How much/many?

C'est combien?	**How much is that?** *haou match iz DTHæt*
Combien y en a-t-il?	**How many are there?** *haou mèni a: DTHè:*
1/2/3	**one/two/three** *ouann/tou:/THri:*
4/5	**four/five** *fo:/faïv*
aucun(e)	**none** *nann*
environ 10 livres	**about ten pounds** *eubaout tèn paoundz*
un peu	**a little** *eu liteul*
beaucoup de circulation	**a lot of traffic** *eu lott ov træfik*
assez	**enough** *inaf*
quelques	**a few** *eu fyou:*
plus que ça	**more than that** *mo: DTHæn DTHæt*
moins que ça	**less than that** *lèss DTHæn DTHæt*
rien d'autre	**nothing else** *naTHinng èlss*
trop	**too much** *tou: match*

Pourquoi? Why?

Pourquoi ça?	**Why is that?** *ouaï iz DTHæt*
Pourquoi pas?	**Why not?** *ouaï not*
à cause du temps	**because of the weather** *bikoz ov DTHeu ouèDTHeu*
parce que je suis pressé	**because I'm in a hurry** *bikoz aïm inn eu hari*
Je ne sais pas pourquoi.	**I don't know why.** *aï daunt nau ouaï*

CHIFFRES ➤ 216

Qui? / Lequel? Who?/Which?

Qui est là?	**Who's there?** *hou:z DTHè:*
C'est moi!	**It's me!** *its mi:*
C'est nous!	**It's us!** *its ass*
quelqu'un	**someone** *samouann*
personne	**no one** *nau ouann*
Lequel / laquelle voulez-vous?	**Which one do you want?** *ouitch ouann dou: you: ouonnt*
un(e) comme ceci	**one like this** *ouann laïk DTHiss*
celui-là / celui-ci	**that one/this one** *DTHæt ouann/DTHis ouann*
pas celui-là	**not that one** *not DTHæt ouann*
quelque chose	**something** *samTHinng*
rien / aucun	**nothing/none** *naTHinng/nann*

A qui? Whose?

A qui est ce?	**Whose is that?** *hou:z iz DTHæt*
C'est ...	**It's ...** *its*
à moi / à nous / à vous	**mine/ours/yours** *maïn/aoueuz/yo:z*
à lui / à elle / à eux	**his/hers/theirs** *hiz/heu:z/DTHè:z*
C'est ... tour.	**It's ... turn.** *its ... teu:n*
mon / notre / votre	**my/our/your** *maï/aoueu/yo:*
son / son / leur	**his/her/their** *hiz/heu:/DTHè:*

GRAMMAIRE

Les pronoms

		Sujet	*Complément (dir./indir.)*	*Possesif 1*	*2*
singulier					
1re personne		**I**	**me**	**my**	**mine**
2e personne		**you**	**you**	**your**	**yours**
3e personne	(m)	**he**	**him**	**his**	**his**
	(f)	**she**	**her**	**her**	**hers**
	(n)	**it**	**it**	**its**	
pluriel					
1re personne		**we**	**us**	**our**	**ours**
2e personne		**you**	**you**	**your**	**yours**
3e personne		**they**	**them**	**their**	**theirs**

Note: L'anglais ignore le tutoiement. La forme **you** signifie donc «tu» et «vous». La forme 1 du possessif correspond à «mon», «ton», etc., la forme 2 à «le mien», «le tien», etc.

Comment? How?

Comment voulez-vous payer?	**How would you like to pay?** *haou woud you: laïk tou péi*
avec une carte de crédit	**by credit card** *baï krèdit ka:d*
Comment venez-vous ici?	**How are you getting here?** *haou a: you: guètinng hieu*
en voiture	**by car** *baï ka:*
par hasard	**by chance** *baï tcha:ns*
également	**equally** *i:koueuli*
extrêmement	**extremely** *ikstri:mli*
à pied	**on foot** *onn fout*
vite/rapidement	**quickly** *kouikli*
lentement	**slowly** *slauli*
trop vite	**too fast** *tou: fa:st*
totalement	**totally** *tauteuli*
très	**very** *vèri*
avec un(e) ami(e)	**with a friend** *ouiDTH eu frènd*
sans passeport	**without a passport** *ouiDTHaout eu pa:sspo:t*

C'est ...?/Y a-t-il ...? Is it ...?/Are there ...?

C'est ...?	**Is it ...?** *iz it*
C'est gratuit?	**Is it free?** *iz it fri:*
Ce n'est pas prêt.	**It isn't ready.** *it izeunnt rèdi*
Y a-t-il ...?	**Is there ...?/Are there ...?** *iz DTHè:/a: DTHè:*
Y a-t-il des bus pour aller en ville?	**Are there buses into town?** *a: DTHè: bassiz inntou taoun*
Le/Les voici.	**Here it is/they are.** *hieu it iz/DTHéi a:*
Le/Les voilà.	**There it is/they are.** *DTHè: it iz/DTHéi a:*

Pouvoir Can?

Est-ce que je peux avoir ...?	**Can I have ...?** *kæn aï hæv*
Est-ce que nous pouvons avoir ...?	**Can we have ...?** *kæn oui: hæv*
Pouvez-vous me dire ...?	**Can you tell me ...?** *kæn you: tèl mi:*
Pouvez-vous m'aider?	**Can you help me?** *kæn you: hèlp mi:*
Est-ce que je peux vous aider?	**Can I help you?** *kæn aï hèlp you:*
Pouvez-vous m'indiquer le chemin pour ...?	**Can you direct me to ...?** *kæn you: daïrèkt mi: tou*
Je ne peux pas.	**I can't.** *aï ka:nt*

Qu'est-ce que vous voulez? What do you want?

Je voudrais ...	**I'd like ...** *aïd laïk*
Est-ce que je peux avoir ...?	**Can I have ...?** *kæn aï hæv*
Nous voudrions ...	**We'd like ...** *oui:d laïk*
Donnez-moi ...	**Give me ...** *guiv mi:*
Je cherche ...	**I'm looking for ...** *aïm loukinng fo:*
Je dois ...	**I need to ...** *aï ni:d tou*
aller ...	**go ...** *gau*
trouver ...	**find ...** *faïnd*
voir ...	**see ...** *si:*
parler à ...	**speak to ...** *spi:k tou*

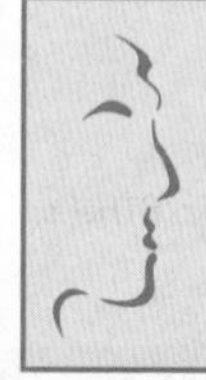

– Excuse me! (Excusez-moi!)
– Yes? (Oui?)
– Can you help me? (Pouvez-vous m'aider?)
– Yes, certainly. (Oui, bien sûr.)
– I'd like to speak to Mr Smith, please. (Je voudrais parler à M. Smith, s.v.p.)
– One moment, please. (Un instant, s.v.p.)

Autres mots utiles Other useful words

heureusement	**fortunately** *fo:tyou:neutli*
j'espère que ...	**hopefully** *haupfeuli*
bien sûr	**of course** *ov ko:ss*
peut-être	**perhaps** *peuhæps*
probablement	**probably** *probeubli*
malheureusement	**unfortunately** *annfo:tyou:neutli*

Exclamations Exclamations

Enfin!	**At last!** *æt la:st*
Continuez.	**Carry on.** *cari onn*
Zut!	**Damn!** *dæm*
Mon Dieu!	**Good God!** *goud god*
Ça ne me fait rien.	**I don't mind.** *aï daunt maïnd*
Pas question!	**You must be joking!** *you: must bi: djokinng*
Ah bon? / Vraiment?	**Really?** *rieuli*
Quelles bêtises!	**Rubbish!** *ræbich*
Ça suffit!	**That's enough!** *DTHæts inaf*
C'est vrai.	**That's true.** *DTHæts trou:*
Pas possible!	**Well, I never!** *ouèl aï nèveu*
Comment ça va?	**How are things?** *haou a: THinngz*
Bien, merci.	**Fine, thank you.** *faïn, THænk you:*
super	**brilliant** *brilyænt*
formidable	**great** *gréit*
très bien	**fine** *faïn*
pas mal	**not bad** *not bæd*
ça va	**okay** *aukéi*
pas bien	**not good** *not goud*
plutôt mal	**fairly bad** *fèrli bæd*
(ça ne va) pas du tout	**(I feel) terrible** *(aï fi:l) tèribeul*

Hébergement

Une large gamme d'hébergements est proposée, de la simple chambre chez l'habitant à l'hôtel luxueux aménagé dans un ancien manoir. Si vous n'avez pas réservé avant de partir, vous pourrez le faire dans n'importe quel office du tourisme local (**tourist information office**).

Hotels *hautèls*

Le logement dans un hôtel (**hotel**) anglais peut s'avérer beaucoup plus onéreux qu'en France. L'**English Tourist Board** (**ETB**) attribue aux hôtels de 1 à 5 couronnes (**crowns**) en fonction de l'équipement et diverses mentions (**Approved, Commended, Highly Commended, Deluxe**) selon la qualité des prestations. Vérifiez bien que le prix affiché est pour la chambre et non par personne. Le petit déjeuner peut être compris ou en sus. Pour un petit déjeuner français, commandez un **continental breakfast**.

Bed and Breakfast (B&B) *bèd ænd brèkfeust (bi: ænd bi:)*

Dans les B&B, vous logerez chez l'habitant, où l'on vous offrira littéralement «le lit» et «le petit déjeuner». On en trouve un peu partout en Angleterre, en ville, à la campagne et près des sites touristiques.

Guesthouse *guèst haous*

C'est une pension de famille et on vous offre généralement plus de chambres qu'un B&B et la possibilité de dîner sur place.

Camping *cæmpinng*

On trouve des terrains de camping et de caravaning dans tout le pays, surtout près du littoral et hors des grands centres. Une brochure avec la liste des terrains et des installations est disponible auprès des bureaux de tourisme.

Youth Hostels *you:TH haustlz*

Pour un hébergement dans les auberges de jeunesse britanniques, réservez longtemps à l'avance. Il est préférable de devenir membre avant de partir.

Cottages *cautidjiz*

L'office du tourisme vous mettra en contact avec les meilleurs organismes de location.

Réservations Booking

A l'avance In advance

Pouvez-vous me/nous recommander un hôtel à …?	**Can you recommend a hotel in …?** *kæn you: rèkeumènd eu hautèl inn*
Est-ce près du centre-ville?	**Is it near the centre of town?** *iz it nieu DTHeu sènteu ov taoun*
C'est combien par nuit?	**How much is it per night?** *haou match iz it peu: naït*
Y a-t-il quelque chose de moins cher?	**Is there anything cheaper?** *iz DTHè: èniTHinng tchi:peu*
Pourriez-vous m'y réserver une chambre, s.v.p.?	**Can you reserve me a room there, please?** *kæn you: rizeu:v mi: eu rou:m DTHè: pli:z*
Comment puis-je m'y rendre?	**How do I get there?** *haou dou: aï guètt DTHè:*

A l'hôtel At the hotel

Avez-vous des chambres libres?	**Have you got any vacancies?** *hæv you: got èni véikeunnsiz*
Je regrette, l'hôtel est complet.	**I'm sorry, we're full.** *aïm sori, oui:eu foul*
Y a-t-il un autre hôtel près d'ici?	**Is there another hotel nearby?** *iz DTHè: eunaDTHeu hautèl nieubaï*
Je voudrais une chambre à un lit/chambre pour deux personnes.	**I'd like a single/double room.** *aïd laïk eu sinngueul/dabeul rou:m*
Je voudrais une chambre avec …	**I'd like a room with …** *aïd laïk eu rou:m ouiDTH*
des lits jumeaux	**twin beds** *touinn bèdz*
un grand lit	**a double bed** *eu dabeul bèd*
une salle de bains/douche	**a bath/shower** *eu ba:TH/chaoueu*

– Have you got any rooms available? I'd like a double room.
(Avez-vous des chambres libres? Je voudrais une chambre pour deux personnes.)
– I'm sorry, we're full. (Je regrette, l'hôtel est complet.)
– Oh. Is there another hotel nearby?
(Oh, y a-t-il un autre hôtel prés d'ici?)
– Yes. The Royal Hotel is not far from here.
(Oui. L'hôtel Royal n'est pas loin d'ici.)

Réception Reception

J'ai réservé.	**I have a reservation.** *aï hæv eu rèzeuvéicheunn*
Je m'appelle …	**My name is …** *maï néim iz*
Nous avons réservé une chambre pour deux personnes et une chambre à un lit.	**We've reserved a double and a single room.** *oui:v rizeu:vd eu dabeul ænd eu sinngueul rou:m*
J'ai confirmé par lettre.	**I confirmed my reservation by post.** *aï keunnfeu:md maï rèzeuvéicheunn baï paust*
Pourrions-nous avoir des chambres côte à côte?	**Could we have adjoining rooms?** *koud oui: hæv eudjoïninng rou:mz*

Equipement et services Amenities and facilities

Y a-t-il … dans la chambre?	**Is there … in the room?** *iz DTHè: … inn DTHeu rou:m*
la climatisation	**air conditioning** *èeu keunndicheuninng*
une télévision/un téléphone	**a television/a telephone** *eu tèlivijeunn/eu tèlifaun*
Y a-t-il … à l'hôtel?	**Has the hotel got …?** *hæs DTHeu hautèl got*
la télévision par câble	**cable television** *kéibeul tèlivijeunn*
un service de nettoyage	**a laundry service** *eu lo:ndri seu:viss*
un solarium	**a solarium** *eu saulè:rieum*
une piscine	**a swimming pool** *eu souiminng pou:l*
Pourriez-vous mettre … dans la chambre?	**Could you put … in the room?** *koud you: pout … inn DTHeu rou:m*
un lit supplémentaire	**an extra bed** *eunn èkstreu bèd*
un lit d'enfant	**a cot** *eu kot*
Y a-t-il des aménagements pour enfants/handicapés?	**Have you got facilities for children/the disabled?** *hæv you: got feusilitiz fo: tchildreunn/DTHeu diséibeuld*

Combien de temps ? How long?

Nous resterons …	**We'll be staying …** *ouil bi: stéiyinng*
une nuit seulement	**overnight only** *auveunaït aunli*
quelques jours	**a few days** *eu fyou: déiz*
une semaine (au moins)	**a week (at least)** *eu oui:k (æt li:st)*
Je voudrais rester une nuit supplémentaire.	**I'd like to stay an extra night.** *aïd laïk tou stéi eunn èkstreu naït*
Qu'est-ce que ça veut dire?	**What does this mean?** *ouat daz DTHis mi:n*

– Hello, my name is Jean Garnier.
(Bonjour, je m'appelle Jean Garnier.)
– Hello, Mr Garnier. (Bonjour, M. Garnier.)
– I'd like to stay for two nights.
(Je voudrais rester deux nuits.)
– Certainly. Can you fill in this form, please?
(Bien sûr. Pouvez-vous remplir cette fiche, s.v.p.?)

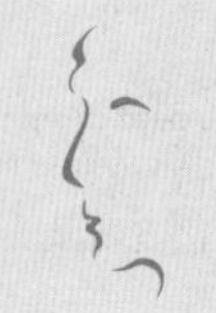

Can I see your passport, please?	Est-ce que je peux voir votre passeport, s.v.p.?
Can you fill in this form?	Pouvez-vous remplir cette fiche?
What is your car registration number?	Quel est votre numéro d'immatriculation?

ROOM ONLY £...	chambre seule … £
BREAKFAST INCLUDED	petit déjeuner compris
MEALS	repas
NAME/FIRST NAME	nom / prénom
HOME ADDRESS/ STREET/NUMBER	lieu de résidence / rue / numéro
NATIONALITY/PROFESSION	nationalité / profession
DATE/PLACE OF BIRTH	date / lieu de naissance
PASSPORT NUMBER	numéro de passeport
CAR REGISTRATION NUMBER	numéro d'immatriculation de la voiture
PLACE/DATE	lieu / date
SIGNATURE	signature

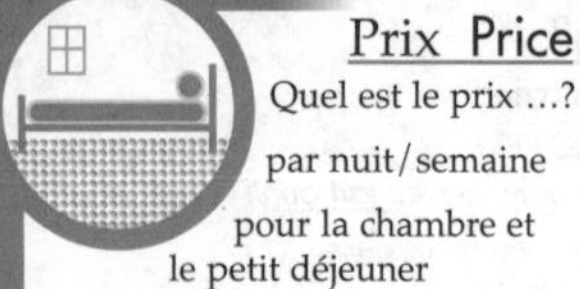

Prix Price

Quel est le prix ...?	**How much is it ...?** *haou match iz it*
par nuit/semaine	**per night/week** *peu: naït/oui:k*
pour la chambre et le petit déjeuner	**for bed and breakfast** *fo: bèd ænd brèkfeust*
sans les repas	**excluding meals** *iksklou:dinng mi:lz*
pour la pension complète	**for full board** *fo: foul bo:d*
pour la demi-pension	**for half board** *fo: ha:f bo:d*
Est-ce-que cela comprend ...?	**Does the price include ...?** *daz DTHeu praïss innklou:d*
le petit déjeuner	**breakfast** *brèkfeust*
la T.V.A.	**VAT** *vi: éi ti:*
Dois-je verser des arrhes?	**Do I have to pay a deposit?** *dou: aï hæv tou péi eu dipozit*
Y a-t-il une réduction pour enfants?	**Is there a discount for children?** *iz DTHè: eu diskaount fo: tchildreunn*

Décision Decision

Puis-je voir la chambre?	**Can I see the room?** *kæn aï si: DTHeu rou:m*
C'est bien. Je la prends.	**That's fine. I'll take it.** *DTHæts faïn. aïl téik it*
Elle est trop ...	**It's too ...** *its tou:*
sombre/petite	**dark/small** *da:k/smo:l*
bruyante	**noisy** *noïzi*
Avez-vous quelque chose de ...?	**Have you got anything ...?** *hæv you: got èniTHinng*
plus grand/moins cher	**bigger/cheaper** *bigeu/tchi:peu*
plus calme/plus chaud	**quieter/warmer** *kouaïeuteu/ouo:meu*
Non, je ne le/la prends pas.	**No, I won't take it.** *nau, aï ouaunnt téik it*

Problèmes Problems

Le/La ... ne marche pas.	**The ... doesn't work.** *DTHeu ... dazeunnt oueu:k*
climatisation	**air conditioning** *èeu keunndicheuninng*
ventilateur	**fan** *fæn*
chauffage	**heating** *hi:tinng*
lumière	**light** *laït*
Je ne peux pas allumer/ éteindre le chauffage.	**I can't turn the heating on/off.** *aï ka:nt teu:n DTHeu hi:tinng onn/off*
Il n'y a pas d'eau chaude/ de papier-toilette.	**There is no hot water/toilet paper.** *DTHè: iz nau hot ouo:teu/toïlit péipeu*
Le robinet fuit.	**The tap is dripping.** *DTHeu tæp iz dripinng*
Le lavabo est bouché./ Les toilettes sont bouchées.	**The sink/toilet is blocked.** *DTHeu sinngk/toïlit iz blokt*
La fenêtre/porte est coincée.	**The window/door is jammed.** *DTHeu ouinndau/do: iz djæmd*
Ma chambre n'a pas été faite.	**My room has not been made up.** *maï rou:m hæz not bi:n méid ap*
Le/La/Les ... est/ sont cassé(e)(s).	**The ... is/are broken.** *DTHeu ... iz/a: brau:keunn*
stores	**blinds** *blaïndz*
serrure	**lock** *lok*
Il y a des insectes dans notre chambre.	**There are insects in our room.** *DTHè: a: innsèkts inn aoueu rou:m*

Action Action

Pourriez-vous vous en occuper?	**Could you have that seen to?** *koud you: hæv DTHæt si:n tou*
Je voudrais changer de chambre.	**I'd like to move to another room.** *aïd laïk tou mou:v tou eunaDTHeu rou:m*
Je voudrais parler au directeur.	**I'd like to speak to the manager.** *aïd laïk tou spi:k tou DTHeu mænidjeu*

Besoins généraux Requirements

Dans tout le pays, le voltage est de 240 volts, 50 Hz en courant alternatif.

Les prises électriques sont à trois fiches plates. Il faut pousser un petit interrupteur rouge vers le haut pour avoir du courant.

Pensez à emporter un adaptateur avant de partir si vous voulez vous servir de vos appareils électriques. Les boutiques hors taxes des ferries et les aéroports en vendent toute l'année.

A propos de l'hôtel About the hotel

Où est le/la/l' ...?	**Where's the ...?** *ouè:z DTHeu*
ascenseur	**lift** *lift*
bar	**bar** *ba:*
douche	**shower** *chaoueu*
parking	**car park** *ka: pa:k*
piscine	**swimming pool** *souiminng pou:l*
salle à manger	**dining room** *daïninng rou:m*
salle de bains	**bathroom** *ba:THrou:m*
tableau d'affichage de l'agence de voyages	**tour operator's notice board** *toueu opeuréiteuz no:tis bo:d*
Où sont les toilettes?	**Where are the toilets?** *ouè: a: DTHeu toïlits*
A quelle heure fermez-vous la porte d'entrée?	**What time is the front door locked?** *ouat taïm iz DTHeu frannt do: lokt*
A quelle heure servez-vous le petit déjeuner?	**What time is breakfast served?** *ouat taïm iz brèkfeust seu:vd*
Y a-t-il un service de chambre?	**Is there room service?** *iz DTHè: rou:m seu:viss*

DIAL ... FOR AN OUTSIDE LINE	composer le ... pour l'extérieur
DO NOT DISTURB	ne pas déranger
FIRE DOOR	porte coupe-feu
SHAVERS ONLY	prise pour rasoirs
EMERGENCY EXIT	sortie de secours

Besoins personnels Personal needs

La clé de la chambre ..., s.v.p.	**The key to room ..., please.** *DTHeu ki: tou rou:m ... pli:z*
J'ai perdu ma clé.	**I've lost my key.** *aïv lost maï ki:*
Je me suis enfermé(e) dehors.	**I've locked myself out.** *aïv lokt maïsèlf aout*
Pourriez-vous me réveiller à ...?	**Could you wake me at ...?** *koud you: ouéik mi: æt*
Je voudrais le petit déjeuner dans ma chambre, s.v.p.	**I'd like breakfast in my room, please.** *aïd laïk brèkfeust inn maï rou:m pli:z*
Puis-je laisser ceci dans le coffre-fort de l'hôtel?	**Can I leave this in the hotel safe?** *kæn aï li:v DTHis inn DTHeu hautèl séif*
Puis-je prendre mes affaires dans le coffre-fort?	**Could I have my things from the safe?** *koud aï hæv maï THinngz from DTHeu séif*
Où est ...?	**Where is...?** *ouè: iz*
le représentant de notre voyage organisé	**our tour representative** *aoueu toueu rèprèzæntetive*
la femme de chambre	**the maid** *DTHeu méid*
Puis-je avoir un/une/du/des ... (supplémentaire(s))?	**Can I have a(n) (extra) ...?** *kæn aï hæv eu(nn) (èkstreu)*
serviette de bain	**bath towel** *ba:TH taoueul*
couverture	**blanket** *blænkit*
cintre	**hanger** *hængueu*
oreiller	**pillow** *pilau*
savon	**soap** *saup*

Courrier et téléphone Post and telephone

Y a-t-il du courrier pour moi?	**Is there any post for me?** *iz DTHè: èni paust fo: mi:*
Y a-t-il des messages pour moi?	**Are there any messages for me?** *a: DTHè: èni mèsidjiz fo: mi:*

PETIT DEJEUNER ➤ 43; CHANGER DE L'ARGENT ➤ 138

Location (de logement) Self-catering

Nous avons réservé un appartement/ une maison au nom de …	**We've reserved an apartment/ cottage in the name of …** *oui:v rizeu:vd eunn eupa:tmeunnt/kotidj inn DTHeu néim ov*
Où devons-nous prendre les clés?	**Where do we pick up the keys?** *ouè: dou: oui: pik ap DTHeu ki:z*
Où est le/la …?	**Where is the …?** *ouè: iz DTHeu*
compteur électrique	**electricity meter** *ilèktrisiti mi:teu*
boîte à fusibles	**fuse box** *fyou:z boks*
robinet d'arrêt	**stopcock** *stopkok*
chauffe-eau	**water heater** *ouo:teu hi:teu*
Y a-t-il des … de rechange?	**Are there any spare …?** *a: DTHè: èni spèeu*
fusibles	**fuses** *fyou:ziz*
bouteilles de gaz	**gas bottles** *gæss boteulz*
draps	**sheets** *chi:ts*
Quel jour vient la femme de ménage?	**Which day does the cleaner come?** *ouitch déi daz DTHeu cli:neu kam*
Où/Quand dois-je sortir les poubelles?	**Where/When do I put out the rubbish?** *ouè:/ouèn dou: aï pout aout DTHeu rabich*

Problèmes? Problems?

Où est-ce que je peux vous contacter?	**Where can I contact you?** *ouè: kæn aï konntækt you:*
Comment fonctionne la cuisinière/le chauffe-eau?	**How does the cooker/water heater work?** *haou daz DTHeu koukeu/ouo:teu hi:teu oueu:k*
Le/La/Les … est sale/ sont sales.	**The … is/are dirty.** *DTHeu … iz/a: deu:ti*
Le/La … est cassé(e).	**The … has broken down.** *DTHeu … hæz brau:keunn daoun*
Nous avons cassé/perdu …	**We have broken/lost …** *oui: hæv brau:keunn/lost*

ARTICLES MENAGERS, NETTOYAGE ➤ 149

Termes utiles Useful terms

bouilloire	**kettle** *kèteul*
casserole	**saucepan** *so:sspeunn*
chaudière	**boiler** *boïleu*
congélateur	**freezer** *fri:zeu*
couverts	**cutlery** *katleuri*
cuisinière	**cooker** *koukeu*
lampe	**lamp** *læmp*
machine à laver	**washing machine** *ouachinng meuchi:n*
papier-toilette/hygiénique	**toilet paper** *toïlit péipeu*
poêle	**frying pan** *fraïinng pæn*
réfrigérateur	**fridge** *fridje*
vaisselle	**crockery** *krokeuri*

Chambres Rooms

balcon	**balcony** *bælkeuni*
salle de bains	**bathroom** *ba:THrou:m*
chambre	**bedroom** *bèdrou:m*
salle à manger	**dining room** *daïninng rou:m*
cuisine	**kitchen** *kitchinn*
salle de séjour/le salon	**living room** *livinng rou:m*
toilettes/WC	**toilet** *toïlit*

Auberge de jeunesse Youth hostel

Vous reste-t-il des places pour ce soir?	**Do you have any places left for tonight?** *dou: you: hæv èni pléissiz lèft fo: teunaït*
Louez-vous des draps?	**Do you rent bedding?** *dou: you: rènt bèdinng*
A quelle heure les portes ferment-elles?	**What time are the doors locked?** *ouat taïm a: DTHeu do:z lokt*
J'ai une carte d'étudiant internationale.	**I have an International Student Card.** *aï hæv eunn innteunæcheuneul styou:deunnt ka:d*

BESIONS GENERAUX ➤ 26; CAMPING ➤ 30

Camping Camping

Les terrains de camping et de caravaning sont nombreux en Angleterre et peu onéreux. Les équipements et installations varient. L'office du tourisme met à la disposition des campeurs une carte (gratuite) indiquant l'emplacement des sites et la gamme de services offerts.

Réservation Checking in

Y a-t-il un camping près d'ici?	**Is there a camp site near here?** *iz DTHè: eu kæmp saït nieu hieu*
Avez-vous de la place pour une tente/une caravane?	**Do you have space for a tent/caravan?** *dou: you: hæv spéiss fo: eu tènt/kæreuvæn*
Quel est le tarif …?	**What is the charge …?** *ouat is DTHeu tcha:dj*
par jour/semaine	**per day/week** *peu: déi/oui:k*
pour une tente/voiture	**for a tent/car** *fo: eu tènt/ka:*
pour une caravane	**for a caravan** *fo: eu kæreuvæn*

Equipements Facilities

Est-il possible de faire la cuisine sur place?	**Are there cooking facilities on site?** *a: DTHè: koukinng feusilitiz onn saït*
Y a-t-il des branchements électriques?	**Are there any electric outlets/power points?** *a: DTHè: èni ilèktrik aoutlèts/paoueu poïntss*
Où est/sont le/la/l'/les …?	**Where is/are the …?** *ouè: iz/a: DTHeu*
eau potable	**drinking water** *drinngkinng ouo:teu*
poubelles	**dustbins** *dastbinnz*
bacs à linge/les machines à laver	**laundry facilities** *lo:ndri feusilitiz*
douches	**showers** *chaoueuz*
Où puis-je trouver du gaz butane?	**Where can I get some butane gas?** *ouè: kæn aï guètt sam byou:téinn gæss*

NO CAMPING	camping interdit
DRINKING WATER	eau potable
NO FIRES/BARBECUES	feux/barbecues interdits

RESERVATIONS ➤ 21; DUREE DU SEJOUR ➤ 23

Plaintes Complaints

Il y a trop de soleil/d'ombre/de gens ici.	**It's too sunny/shady/crowded here.** *its tou: sani/chéidi/kraoudid hieu*
Le sol est trop dur/inégal.	**The ground's too hard/uneven.** *DTHeu graoundz tou: ha:d/ani:veunn*
Avez-vous un emplacement plus plat?	**Have you got a more level spot?** *hæv you: got eu mo: lèveul spot*
Vous ne pouvez pas camper ici.	**You can't camp here.** *you: ka:nt kæmp hieu*

Matériel de camping Camping equipment

allumettes	**matches** *mætchiz*
charbon	**charcoal** *tcha:kaul*
corde de tente	**guy rope** *gaï raup*
gaz butane	**butane gas** *byou:téinn gæss*
grand piquet de tente	**tent pole** *tènt paul*
lampe de poche/électrique	**torch** *to:tch*
lit de camp	**campbed** *kæmpbèd*
maillet	**mallet** *mælit*
marteau	**hammer** *hæmeu*
matelas (pneumatique)	**(air) mattress** *(èeu) mætriss*
pétrole	**paraffin** *pæreufinn*
piquets de tente	**tent pegs** *tènt pègz*
réchaud (de camping)	**primus stove** *praïmeus stauv*
sac à dos	**rucksack** *reuksæk*
sac de couchage	**sleeping bag** *sli:pinng bæg*
tente	**tent** *tènt*
tapis de sol	**groundsheet** *graoundchi:t*

Départ Checking out

A quelle heure devons-nous libérer la chambre?	**What time do we need to vacate the room?** *ouat taïm dou: oui: ni:d tou veukéit DTHeu rou:m*
Pourrions-nous laisser nos bagages ici jusqu'à … heures du soir?	**Could we leave our luggage here until … p.m.?** *koud oui: li:v aoueu laguidj hieu eunntil … pi: èm*
Je pars maintenant.	**I'm leaving now.** *aïm li:vinng naou*
Pourriez-vous m'appeler un taxi, s.v.p.?	**Could you order me a taxi, please?** *koud you: o:deu mi: eu tæksi pli:z*
J'ai passé un très bon séjour.	**It's been a very enjoyable stay.** *its bi:n eu vèri inndjoïeubeul stéi*

Paiement Paying

Puis-je avoir ma note, s.v.p.?	**Can I have my bill, please?** *kæn aï hæv maï bil pli:z*
Je crois qu'il y a une erreur sur cette note.	**I think there's a mistake in this bill.** *aï Thinngk DTHè:z eu mistéik inn DTHis bil*
J'ai passé … coups de téléphone.	**I've made … telephone calls.** *aïv méid … tèlifaun ko:lz*
J'ai pris … au mini-bar.	**I've taken … from the minibar.** *aïv téikeunn … from DTHeu miniba:*
Est-ce que je peux avoir une note détaillée?	**Can I have an itemized bill?** *kæn aï hæv eunn aïteumaïzd bil*
Est-ce que je peux avoir un reçu?	**Could I have a receipt?** *koud aï hæv eu risi:t*

Pourboire: un supplément de 10 à 15% pour le service est généralement compris dans la note des hôtels et des restaurants. Cependant, si vous avez été particulièrement satisfait du service, vous souhaiterez peut-être rajouter un petit quelque chose.
Voici quelques suggestions:

Porteur:	50p–80p par valise
Personnel de chambre, par semaine:	5–10 £
Serveur:	facultatif

HEURES ➤ 220

La table

Restaurants Restaurants

Restaurant *rèstrant*

Il y a quelques décennies, les touristes en Grande-Bretagne pensaient que les restaurants étaient soit des restaurants indiens, soit un magasin de **fish and chip**. Aujourd'hui on trouve des fast-foods, des pizzerias, des cafés, bistrots, crêperies, car la cuisine britannique devient de plus en plus internationale.

Café *cafféi*

Appelés «restaurants de bord de route», on y sert de tout, du simple «en-cas» jusqu'au repas complet. Beaucoup de ces nouveaux cafés sur les autoroutes présentent la nourriture cuisinée et préparée à l'avance.

Fish and chip shop *fich ænd tchip chop*

Ce qui distingue ces magasins, qu'ils s'agissent de ceux qui vendent de la nourriture à emporter ou ceux dans lesquels on peut aussi manger sur place, c'est le poisson cuit dans la friture et les frites.

Pub *pab*

Le pub anglais s'est nettement amélioré au cours des dernières décennies. Il existe deux types de pubs: ceux qui sont rattachés à une des grandes brasseries, et sont donc obligés de servir les bières de cette brasserie, et les **free houses**, c'est-à-dire ceux dont les baux ou les locaux appartiennent au propriétaire et qui ont le droit de servir les bières choisies par ce dernier.

Tea room *ti:rou:m*
Plus courants dans les villes que dans les grandes villes, on peut y déguster du thé, du café et des pâtisseries en-dehors des repas.

Wine bar *ouaïn ba:*
Très prisés des jeunes et des mobiles sociaux ascendants, ces endroits se spécialisent dans la vente de vins; le déjeuner est le repas principal.

Heures des repas Meal times

Breakfast *brækfeust (petit déjeuner)*
Bien qu'on trouve des petits déjeuners de style continental (jus de fruits, croissant ou pain grillé et café), le petit déjeuner anglais traditionnel consiste parfois de jus de fruit, céréales, œufs, lard, saucisse, boudin noir, frites, pain frit, pain grillé beurré et confiture, et café ou thé.

Lunch *lantch (déjeuner)*
Servi de 12h à 14h30, la plupart des déjeuners anglais restent courts et plutôt légers: un sandwich acheté au **sandwich shop**, etc. Les pubs et auberges de campagne servent un «déjeuner du dimanche» (**Sunday roast**), comprenant du rosbif, accompagné de **Yorkshire pudding** qui est une sorte de pâte à crêpe cuite, des légumes, du jus de viande (**gravy**) et un dessert.

Dinner *dineu: (dîner)*
C'est en général un repas copieux; les restaurants ont le plus de clients entre 19h30 et 22h30, sauf les restaurants plus à la mode dans les grandes villes. Il est conseillé de téléphoner à l'avance pour vous assurer des heures d'ouverture.

Tea Time *ti:taïm (l'heure du thé)*
La coutume selon laquelle on prend une tasse de thé au lait entre 3h30 et 4h30 de l'après-midi persiste encore largement. Lorsque le thé est servi avec un sandwich ou un gâteau, on l'appelle **afternoon tea**.

Cuisine anglaise

En Angleterre il existe des restaurants ethniques de toutes les nationalités possibles et imaginables. La «vraie» cuisine britannique «*du pays*», on la trouve en abondance! L'astuce consiste à rechercher les spécialités «régionales»: le maquereau fumé et les feuilletés à la viande et aux légumes (**Cornish Pasties**) de Cornouailles, le cidre et le fromage de Cheddar du Somerset, les pommes et les prunes du Kent, l'agneau et les jeunes anguilles appelées **elvers** (civelles) dans les omelettes au Pays de Galles, le bœuf et le **kedgeree** (sorte de pilaf de poisson) d'Ecosse, le whisky d'Irlande du Nord, la **clotted cream** (crème en grumeaux) sur les **scones** du Devon, pour n'en citer que quelques unes.

L'ESSENTIEL

Une table pour 1/2/3/4	**A table for** *eu téibeul fo:* **one/two/three/four** *ouann/tou:/THri:/fo:*
Merci.	**Thank you.** *THænk you:*
L'addition, s.v.p.	**The bill, please.** *DTHeu bil pli:z*

Chercher un restaurant
Finding a place to eat

Pouvez-vous me/nous recommander un bon restaurant?	**Can you recommend a good restaurant?** *kæn you: rèkeumènd eu goud rèsteuronnt*
Y a-t-il un restaurant ... près d'ici?	**Is there a ... restaurant near here?** *iz DTHè: eu ... rèsteuronnt nieu hieu*
traditionnel	**traditional** *treudicheuneul*
chinois	**Chinese** *tchaïni:z*
indien	**Indian** *inndieunn*
français	**French** *frèntch*
grec	**Greek** *gri:k*
italien	**Italian** *itælieunn*
turc	**Turkish** *teu:kich*
bon marché	**inexpensive** *inikspènsiv*
végétarien	**vegetarian** *vèdjitèrieunn*
Où puis-je trouver un/une ...?	**Where can I find a ...?** *ouè: kæn aï faïnd eu*
kiosque à hamburger	**hamburger stand** *hambeu:gueu stænd*
café	**café** *kæfé*
café/restaurant avec jardin/terrasse	**café/restaurant with a beer garden** *kæfé /rèsteuronnt ouiDTH eu bieu ga:deunn*
fast-food	**fast-food restaurant** *fa:st-fou:d rèsteuronnt*
salon de thé	**tea room** *ti: rou:m*
pizzeria	**pizzeria** *pi:tseuri:æ*
restaurant-grill	**steak house** *stéik haouss*

DEMANDER SON CHEMIN ➤ 94

Réserver Reservations

Je voudrais réserver une table pour 2 personnes.	**I'd like to reserve a table for two.** *aïd laïk tou rizeu:v eu téibeul fo: tou:*
Pour ce soir/demain à … heures.	**For this evening/tomorrow at …** *fo: DTHis i:vninng/teumorau æt*
Nous viendrons à 8h.	**We'll come at eight o'clock.** *ouil kam æt éit eu klok*
Une table pour 2, s.v.p.	**A table for two, please.** *eu téibeul fo: tou: pli:z*
Nous avons réservé.	**We have a reservation.** *oui: hæv eu rèzeuvéicheunn*

What's the name, please?	C'est à quel nom, s.v.p.?
I'm sorry. We're very busy/full up.	Je regrette. Il y a beaucoup de monde/nous sommes complets.
We'll have a free table in … minutes.	Nous aurons une table libre dans … minutes.
Come back in … minutes.	Revenez dans … minutes.

Où s'asseoir Where to sit

Pouvons-nous nous asseoir …?	**Could we sit …?** *koud oui: sit*
là-bas	**over there** *auveu DTHè:*
dehors	**outside** *aoutsaïd*
dans une section non-fumeur	**in a non-smoking area** *inn eu nonn-smaukinng érieu*
près de la fenêtre	**by the window** *baï DTHeu ouinndau*
Fumeur ou non-fumeur?	**Smoking or non-smoking?** *smaukinng o: nonn-smaukinng*

– I'd like to reserve a table for this evening.
(Je voudrais réserver une table pour ce soir.)
– For how many people? (Pour combien de personnes?)
– Four, please. (Pour quatre, s.v.p.)
– What time will you be arriving? (A quelle heure arrivez-vous?)
– At eight o'clock. (A huit heures.)
– What's the name, please? (C'est à quel nom, s.v.p?)
– Garnier. (Garnier.)
– Ok. We'll look forward to seeing you this evening.
(Très bien, alors à ce soir.)

HEURES ➤ 220; CHIFFRES ➤ 216

Commander Ordering

Monsieur! / Mademoiselle!	**Waiter!/Waitress!** *ouéiteu/ouéitriss*
Puis-je avoir la carte des vins, s.v.p.?	**Can I see the wine list, please?** *kæn aï si: DTHeu ouaïn list pli:z*
Avez-vous un menu à prix fixe?	**Have you got a set menu?** *hæv you: got eu sèt mènyou:*
Pouvez-vous me / nous recommander des spécialités régionales?	**Can you recommend some typical local dishes?** *kæn you: rèkeumènd sam tipikeul laukeul dichiz*
Pourriez-vous me dire ce qu'est …?	**Could you tell me what … is?** *koud you: tèl mi: ouat … iz*
Qu'y a-t-il dedans?	**What's in it?** *ouatz inn it*
Qu'est-ce que vous avez comme …?	**What kind of … have you got?** *ouat kaïnd ov … hæv you: got*
Je voudrais …	**I'd like …** *aïd laïk*
Je prendrai …	**I'll have …** *aïl hæv*
une bouteille / un verre / une carafe de …	**a bottle/glass/carafe of …** *eu boteul/gla:ss/keuræf ov*

Are you ready to order?	Vous désirez commander?
What would you like?	Qu'est-ce que vous prendrez?
Would you like to order drinks first?	Voulez-vous prendre un apéritif pour commencer?
I recommend …	Je vous recommande / conseille …
We haven't got …	Nous n'avons pas de …
That will take … minutes.	Il faudra attendre … minutes.
Enjoy your meal.	Bon appétit.

– Are you ready to order?
(Vous désirez commander?)
– Can you recommend some typical local dishes?
(Pouvez-vous nous recommander des specialites régionales?)
– Yes. The cottage pie is very good.
And what would you like to drink?
(Oui. Le hachis parmentier est très bon.
Et qu'est -ce que vous voulez boire?)
– A bottle of red wine please. (Une bouteille de vin rouge, s.v.p.)
– Certainly. (D'accord.)

BOISSONS ➤ 49

Accompagnements Side dishes

Est-ce que je pourrais avoir … sans …?	**Could I have … without the …?** *koud aï hæv … ouiDTHaout DTHeu*
Avec … comme accompagnement.	**With a side order of …** *ouiDTH eu saïd o:deu ov*
Est-ce que je pourrais avoir une salade à la place des légumes, s.v.p.?	**Could I have salad instead of vegetables, please?** *koud aï hæv sæleud innstèd ov vèdjeuteubeulz, pli:z*
Le plat est-il servi avec des légumes / pommes de terres?	**Does the meal come with vegetables/ potatoes?** *daz DTHeu mi:l kam ouiDTH vèdjeuteubeulz/peutéitauz*
Est-ce que vous voulez du / de la / des … avec cela?	**Would you like … with that?** *woud you: laïk … ouiDTH DTHæt*
légumes / salade	**vegetables/salad** *vèdjeuteubeulz/sæleud*
pommes de terre / frites	**potatoes/chips** *peutéitauz/tchips*
sauces	**sauces** *so:ssiz*
glaçons	**ice** *aïss*
Puis-je avoir du / de la / de l' / des …?	**Can I have some …?** *kæn aï hæv sam*
pain	**bread** *brèd*
beurre	**butter** *bateu*
citron	**lemon** *lèmeunn*
moutarde	**mustard** *masteud*
poivre	**pepper** *pèpeu*
sel	**salt** *solt*
assaisonnement	**seasoning** *si:zeunninng*
sucre	**sugar** *chougueu*
édulcorant	**(artificial) sweetener** *(a:tificheul) soui:teunneu*
vinaigrette	**vinaigrette/French dressing** *vinéigrèt/frèntch drèssinng*

GLOSSAIRE DE L'ALIMENTATION ➤ 52

Questions d'ordre général
General questions

Pourriez-vous m'apporter un/ une … (propre), s.v.p.?	**Could I have a (clean) …, please?** *koud aï hæv eu (kli:n) … pli:z*
cendrier	**ashtray** *æchtréi*
tasse/verre	**cup/glass** *kap/gla:ss*
fourchette/couteau	**fork/knife** *fo:k/naïf*
serviette	**napkin** *næpkinn*
assiette/cuillère	**plate/spoon** *pléit/spou:n*
Je voudrais un peu plus de …	**I'd like some more …, please.** *aïd laïk sam mo: … pli:z*
Plus rien, merci.	**Nothing more, thanks.** *naTHinng mo: THænks*
Où sont les toilettes?	**Where are the toilets?** *ouè: a: DTHeu toïlits*

Régimes spéciaux Special requirements

Je ne dois pas manger de plats contenant du …	**I mustn't eat food containing …** *aï masseunnt i:t fou:d keunntéininng*
sel/sucre	**salt/sugar** *solt/chougueu*
Avez-vous des repas/ boissons pour diabétiques?	**Have you got meals/drinks for diabetics?** *hæv you: got mi:lz/drinngks fo: daïeubètiks*
Avez-vous des repas végétariens?	**Have you got vegetarian meals?** *hæv you: got vèdjitèrieunn mi:lz*

Pour les enfants For children

Faites-vous des portions enfants?	**Do you do children's portions?** *dou: you: dou: tchildreunnz po:cheunnz*
Pourrions-nous avoir une chaise haute (pour bébé), s.v.p.?	**Could we have a high chair, please?** *koud oui: hæv eu haï tchéir pli:z*
Où est-ce que je peux allaiter/changer le bébé?	**Where can I feed/change the baby?** *ouè: kæn aï fi:d/tchéindj DTHeu béibi*

ENFANTS ➤ 113

Restauration rapide / Café
Fast food/Café

Boissons … Something to drink …

Je voudrais une tasse de …	**I'd like a cup of …** *aïd laïk eu kap euv*
thé / café	**tea/coffee** *ti:/kofi*
noir / au lait	**black/with milk** *blæk/ouiDTH milk*
Je voudrais un / une … de vin rouge / blanc.	**I'd like a … of red/white wine.** *aïd laïk eu … ov rèd/ouaït ouaïn*
carafe / bouteille / verre	**carafe/bottle/glass** *keuræf/boteul/gla:ss*
Avez-vous de la bière …?	**Have you got … beer?** *hæv you: got … bieu*
en bouteille / pression	**bottled/draught** *boteuld/dra:ft*

Et nourriture … And to eat …

Un morceau de …, s.v.p.	**A piece of …, please.** *eu pi:ss ov … pli:z*
J'en voudrais deux.	**I'd like two of those.** *aïd laïk tou: ov DTHauz*
un hamburger / des frites	**a hamburger/some chips** *eu hambeu:gueu/sam tchips*
un gâteau / un sandwich	**a cake/a sandwich** *eu kéik/eu sænouidj*

ice cream *aïsskri:m*

Quelques parfums variés: **vanilla** (à la vanille), **chocolate** (au chocolat), **strawberry** (à la fraise), **raspberry** (à la framboise).

pizza *pi:tzeu*

Citons, parmi les plus populaires, la **hot and spicy** (viande hachée et saucisson épicés), la **marguerita** (fromage et tomates), l'**hawaï** (jambon et ananas), la **vegetarian** (fromage, tomates, poivrons, maïs et champignons).

Une petite portion, s.v.p.	**A small portion, please.** *eu smo:l po:cheunn pli:z*
portion moyenne	**medium portion** *mi:dieum po:cheunn*
grosse portion	**large portion** *la:dj po:cheunn*
C'est pour emporter.	**It's to take away.** *its tou téik euouéi*
C'est tout, merci.	**That's all, thanks.** *DTHæts o:l THænks*

BOISSONS ➤ 49–51

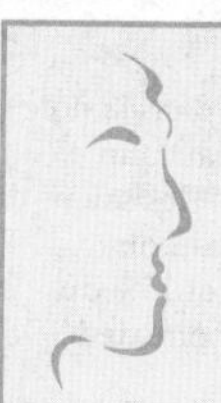

– What would you like? (Vous désirez?)
– Two coffees, please. (Deux cafés, s.v.p.)
– White or black? (Au lait ou noirs?)
– White, please. (Au lait, s.v.p.)
– Anything else? (Désirez-vous autre chose?)
– No, that's all, thanks.
(Non, c'est tout, merci.)

Réclamations Complaints

Je n'ai pas de couteau/ fourchette/cuillère.	**I haven't got a knife/fork/spoon.** *aï hæveunnt got eu naïf/fo:k/spou:n*
Il doit y avoir une erreur.	**There must be some mistake.** *DTHè: mast bi: sam mistéik*
Ce n'est pas ce que j'ai commandé.	**That's not what I ordered.** *DTHæts not ouat aï o:deud*
J'ai demandé …	**I asked for …** *aï a:skt fo:*
Je ne peux pas manger cela.	**I can't eat this.** *aï ka:nt i:t DTHis*
La viande est …	**The meat is …** *DTHeu mi:t iz*
trop cuite	**overdone** *auveudann*
pas assez cuite	**underdone** *anndeudann*
trop dure	**too tough** *tou: taf*
C'est trop …	**This is too …** *DTHis iz tou:*
amer/acide	**bitter/sour** *biteu/saoueu*
La nourriture est froide.	**The food is cold.** *DTHeu fou:d iz kauld*
Ça n'est pas frais.	**This isn't fresh.** *DTHis izeunnt frèch*
Il y en a encore pour combien de temps?	**How much longer will our food be?** *haou match lonngueu ouil aoueu fou:d bi:*
Nous ne pouvons plus attendre. Nous partons.	**We can't wait any longer. We're leaving.** *oui: ka:nt ouéit èni lonngueu. oui:eu li:vinng*
Ce n'est pas propre.	**This isn't clean.** *DTHis izeunnt kli:n*
Je voudrais parler au maître d'hôtel/au patron.	**I'd like to speak to the headwaiter/ to the manager.** *aïd laïk tou spi:k tou DTHeu hèdouéiteu/tou DTHeu mænidjeu*

Paiement Paying

Pourboires: Le service est généralement compris dans la note sauf dans les restaurants les plus chers. Dans beaucoup d'endroits comme les pubs, les maisons du café et les salons de thé, on ne s'attend pas à ce que vous laissiez un pourboire. Lorsque c'est le cas contraire, vous pouvez laisser entre 10% et 15% du montant de la note selon la qualité du service. Un petit pourboire de 5% dans le bar d'un hôtel de qualité est tout à fait suffisant.

Je voudrais payer.	**I'd like to pay.** *aïd laïk tou péi*
L'addition, s.v.p.	**The bill, please.** *DTHeu bil pli:z*
Nous voudrions payer séparément.	**We'd like to pay separately.** *oui:d laïk tou péi sèpeureutli*
Tous les repas ensemble, s.v.p.	**It's all together, please.** *its o:l teuguèDTHeu pli:z*
Je crois qu'il y a une erreur sur cette addition.	**I think there's a mistake in this bill.** *aï Thinngk DTHè:z eu mistéik inn DTHis bil*
Que représente ce montant?	**What is this amount for?** *ouat iz DTHis eumaount fo:*
Je n'ai pas pris ça. J'ai pris …	**I didn't have that. I had …** *aï dideunnt hæv DTHæt. aï hæd*
Le service est-il compris?	**Is service included?** *iz seu:viss innklou:did*
Puis-je payer avec cette carte de crédit?	**Can I pay with this credit card?** *kæn aï péi ouiDTH DTHis krèdit ka:d*
Je n'ai pas assez d'argent.	**I haven't got enough money.** *aï hæveunnt got inaf mani*
Puis-je avoir un reçu pour la TVA?	**Could I have a VAT receipt?** *koud aï hæv eu vi: éi ti: risi:t*
C'était un très bon repas.	**That was a very good meal.** *DTHæt ouaz eu vèri goud mi:l*

– Excuse-me, the bill please?
(Excusez-moi, l'addition, s.v.p.)
– *Certainly. Here you are. (Bien sûr. Voilà.)*
– Is service included? (Le service est-il compris?)
– *Yes. (Oui.)*
– Can I pay with this credit card?
(Puis-je payer avec cette carte de crédite?)
– *Yes, certainly. (Oui, bien sûr.)*
– Thank you. That was a very good meal.
(Merci. C'était un très bon repas.)

CHIFFRES ➤ 216

Plats Course by course

Petit déjeuner Breakfast

Je voudrais du/de la/des …	**I'd like some …** *aïd laïk sam*
beurre	**butter** *bateu*
confiture/marmelade	**jam/marmalade** *djæm/ma:meuléid*
jus d'orange	**orange juice** *orinndj djou:ss*
lait	**milk** *milk*
miel	**honey** *hani*
œufs	**eggs** *ègz*
pain	**bread** *brèd*
pain grillé	**toast** *taust*
petits pains	**rolls** *raulz*

Hors-d'œuvres Appetizers/Starters

Il existe un grand choix d'entrées en Grande-Bretagne. Parmi les préférées on trouve:

avocado with prawns *avoca:do wiDTH pro:nz*
Avocat aux crevettes.

corn on the cob *co:n on DTHe cob*
Epi de maïs. Ce légume mangé en entrée est servi avec du beurre fondu.

melon *mèleun*
Cette entrée populaire est servie bien fraîche.

pâté *pætéi*
On la sert toujours avec du pain grillé ou des petits pains.

potato skins *peutéito skinz*
Les peaux de pommes de terre sont farcies avec un peu de purée de pomme de terre, cuites au four et servies avec de la mayonnaise.

prawn cocktail *pro:n coctéil*
Des crevettes froides avec une sauce à base de ketchup et de mayonnaise.

rollmop herring *rolmop hèrinng (rollmops)*
Du hareng macéré dans du vinaigre et roulé est servi avec de l'aneth.

smoked salmon *smeuokt sæmeun (saumon fumé)*
Du saumon fumé coupé en tranches fines.

whitebait *ouaïtbéit (friture)*
Dans ce plat, les harengs ou les sprats sont cuits dans la friture et servis chauds avec des tranches de citron.

BOISSONS SANS ALCOOL ➤ 51

Potages et soupes Soups

L'entrée la plus populaire en hiver, la soupe occupe une place importante dans la nourriture britannique. Vous trouverez ci-dessous quatre soupes parmi les meilleures et celles qu'on consomme le plus souvent.

cock-a-leekie	*cokeuli:ki*	Comme son nom l'indique, ce velouté est fait à base de poulet et de poireaux.
mulligatawny	*maligueuto:ni*	Une soupe qui a ses origines en Inde, elle contient parmi ses ingrédients de la viande, du riz et du curry.
split pea soup	*split pi: sou:p*	Des pois secs cassés ou des pois jaunes sont mélangés avec des oignons et des carottes et on les fait cuire dans un bouillon de jambon pour faire cette soupe qui sert souvent de repas complet.
Scotch broth	*scotch broTH*	Une autre soupe copieuse qui est faite avec du mouton, des légumes et de l'orge.
carrot and coriander soup	*karot ænd korianndeu soup*	soupe aux carottes et coriande
cream of mushroom soup	*kri:m ov meushrou:m soup*	crème de champignons
cream of asparagus soup	*kri:m ov asparageuss soup*	crème d'asperges
lentil soup	*lènteul soup*	soupe de lentilles
tomato soup	*toma:tauou soup*	soupe aux tomates
vegetable soup	*vègeuteubl soup*	soupe de légumes

Salades salads

En général, la salade est servie *avec* le plat principal et est une salade verte/ une salade de tomates/ une salade de concombre/ de cresson ou un mélange de ces ingrédients. Une sauce au fromage bleu (**blue cheese dressing**) est simplement une sauce industrielle contenant du fromage bleu et, comme la vinaigrette (**French dressing**) et la sauce Mayonnaise des Mille Iles (**Thousand Island dressing**), elles sont achetées en bouteilles plutôt que préparées maison.

Poissons et fruits de mer Fish and seafood

Comme on pourrait s'en douter d'une île dotée de rivières au lit calcaire riches en truites et en saumons, la variété de poissons et de fruits de mer est extraordinaire.

bass	*bass*	la perche
cockles	*kokeulz*	coques
cod	*kod*	le cabillaud
Dover sole	*dovèr saul*	sole
eels	*i:lz*	anguilles
flounder	*flauoundeu*	flet
herring	*hèrinng*	hareng
lobster	*lobsteu*	homard
mackerel	*mækrel*	le maquereau
monkfish	*monnkfich*	lotte
mullet	*meulett*	le mulet
mussels	*masseulz*	moules
oysters	*oîsteuz*	huîtres
plaice	*pléiss*	carrelet
prawns	*pro:nz*	crevettes
salmon	*sameun*	saumon
scallops	*skallopz*	coquilles St Jacques
trout	*trauoutt*	truite
turbot	*teu:beut*	turbot

angels on horseback *éindjeuls on ho:sbæk*
Des huîtres sont enroulées dans du lard, grillées et servies sur une tranche de pain grillé comme repas ou comme amuse-gueule à l'apéritif.

grilled Dover sole *grild doveu sauoul*
Sole grillée. Le plat de poisson britannique numéro un.

jellied eels *djèlid i:lz*
Anguilles en gelée. Typiquement britannique, ce plat se prépare en faisant cuire les anguilles doucement dans un court bouillon, en les mettant ensuite au réfrigérateur jusqu'à ce que le bouillon se transforme en aspic.

kedgeree *kèdjeuri:*
Ce plat est servi traditionnellement pour le petit déjeuner, mais il peut être un excellent souper léger. Il est composé de haddock fumé, de riz et d'œufs durs.

scampi and chips *scammpi ænd tchips*
On les trouve partout en Grande-Bretagne; ces grosses crevettes panées et cuites dans la friture sont servies dans un panier en osier et accompagnées d'une montagne de frites. Recherchez plutôt les restaurants qui servent des crevettes entières, car les crevettes reconstituées manquent parfois de goût.

Viandes Meat

bacon	*béikeunn*	lard
beef	*bi:f*	bœuf
chicken	*tchikinn*	poulet
duck	*dak*	canard
fillet	*filit*	filet
ham	*hæm*	jambon
lamb	*læm*	agneau
mince	*mins*	viande hachée
pork	*po:k*	porc
rabbit	*ræbit*	lapin
ribs	*ribz*	côtes
rump	*rammp*	culotte
sausages	*sossidjiz*	saucisses
sirloin	*seu:loïnn*	aloyau
steak	*stéik*	steak
veal	*vi:l*	veau

roast beef *rauoust bi:f*

Côtes de bœuf rôties servies avec de la pâte à crêpes cuite. Les côtes de bœuf bien rôties sont immanquablement accompagnées de pommes de terre rôties arrosées de graisse du rôti, et de **Yorkshire pudding** (une pâte à crêpe cuite faite avec de la farine, des œufs et du lait).

beef Wellington *bi:f ouèlinngteunne*

Dans ce plat de bœuf britannique très élégant, des filets de bœufs découpés, du pâté de foie de volaille et une farce aux champignons sont servis assaisonnés avec de la Worcestershire sauce et du poivre noir.

shepherd's pie *chèpeudz paï*

Hachis parmentier, fait avec de la viande hachée et des oignons, il est recouvert de purée de pommes de terre et cuit au four.

steak and kidney pie *stéik ænd kidni paï*

Ce mélange de bœuf et de rognons dans un plat creux recouvert de pâte feuilletée est un des plats principaux des pubs et auberges britanniques.

Welsh roast lamb *ouèlch rauousst lamm*

Gigot d'agneau à la galloise, cuit lentement dans le cidre.

Lancashire hot-pot *lanngkeucheu: hottpott*

Ce plat contient de l'agneau, des pommes de terre, des oignons et du bouillon de bœuf, et on le fait cuire traditionnellement dans un grand faitout.

Légumes Vegetables

Les Britanniques aiment leurs légumes servis de façon simple (y compris les pommes de terre qui sont soit cuites à l'eau, soit en purée, rôties ou frites). Vous reconnaîtrez **carrot, tomato, cucumber, lentils, onion, radish, artichoke.** Un hiver doux donne toute une gamme de magnifiques légumes «d'hiver» (récoltés pour la plupart en automne) tels que:

beetroot	*bi:trou:tt*	betteraves
Brussels sprouts	*brassellz spraouts*	choux de Bruxelles.
cabbage	*kæbidje*	choux
cauliflower	*koliflaouer*	choux-fleurs
marrow	*marau*	courges
parsnips	*pa:snips*	panais
swedes	*soui:dz*	rutabagas
turnips	*teu:nips*	navets

baked cauliflower (broccoli) cheese
béikt coliflaoueur (brocoli) tchi:z

Chou-fleur ou broccoli à la sauce béchamel, cette recette, qui apparaît souvent sur les menus britanniques, est un gratin à base de fromage râpé et de lait dont on nappe les légumes.

bubble and squeak *babeul ænd skoui:k*

Une crêpe faite avec de la purée et les restes de légumes verts disponibles – chou, légumes verts ou choux de Bruxelles – frits dans l'huile ou le gras de lard.

jacket potato with ... *djækit peutéito ouiTH ...*

Un plat familier sur le menu de la plupart des pubs, parmi les farces servies avec ces pommes de terre, on trouve les crevettes mayonnaise, le fromage de Cheddar, les haricots blancs à la sauce tomate, le fromage blanc, etc.

mushy peas *machi pi:z*

Purée de pois, servie comme accompagnement avec le poisson et les frites (**fish and chips**), la purée de pois est faite avec des pois à grains ridés secs et contient du carbonate de sodium pour que les pois conservent une couleur bien verte.

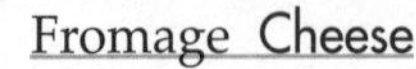

Fromage Cheese

On sert le fromage sur la table du dîner après le dessert et souvent accompagné de fruits frais comme les pommes ou les poires. On peut se rendre compte combien la fabrication du fromage est florissante en Grande-Bretagne en regardant la liste de quelques types de fromages bien connus: Cheddar / Dorset Blue Vinney / Stilton / Double Gloucester / Leicester / Double Worcester / Somerset Brie / Cornish Yarg / Shropshire Blue / Cheshire pour n'en nommer que quelques-uns.

ploughman's lunch *plaoumanz lanntch*
On trouve ce plat très populaire dans presque tous les pubs ou auberges britanniques. Il s'agit d'un morceau de fromage, d'oignons au vinaigre, d'achards et de pain de campagne beurré.

Welsh rabbit (rarebit) *ouèlch ræbit (rèrbit)*
Ce plat composé de fromage fondu sur du pain grillé est fait avec du Cheddar, de la moutarde, de la bière et du poivre de cayenne. Lorsqu'on le sert avec un œuf poché, on l'appelle alors **Buck rabbit (rarebit)**.

Dessert Dessert

La Grande-Bretagne est le pays rêvé pour ceux qui aiment les choses sucrées et les Anglais raffolent de gâteaux, puddings et tartes aux fruits qu'ils servent chaudes ou froides avec de la crème fraîche et du sucre. Sur la carte figurent quantité de desserts avec **custard** (crème anglaise).

apple (rhubarb) crumble *æpeul (roubarb) creumbeul*
Une sorte de gâteau recouvert de gros grains de pâte, on le sert dans le plat de cuisson; il contient des fruits, de la farine, de la cannelle, du beurre et du sucre en poudre.

death by chocolate *dèTH baï tchocleute*
Mort par chocolat! On voit de plus en plus ce gâteau enrichi au chocolat noir dans les restaurants britanniques.

spotted dick *spotid dik*
Ce dessert riche est un «pudding» cuit à la vapeur aux raisins secs, servi avec de la crème ou de la crème anglaise.

syllabub *silabeub*
Sabayon. Ce dessert froid mousseux contient du vin, du sucre, des épices et des fruits rouges cuits ou crus.

trifle *traïfeul*
Ce dessert léger contient de la crème fouettée, une sorte de biscuit de Savoie et du sherry (xérès). Il ressemble un peu au diplomate.

Boissons Drinks

Bière Beer

Après le thé, la bière est la boisson la plus populaire en Grande-Bretagne. On la boit en bouteilles ou pression et l'on tire des millions de demi-pintes et de pintes chaque jour dans tout le pays. On boit beaucoup de bière blonde (**lager**) en Grande-Bretagne et la plupart des bières vendues sont fabriquées «sous licence» par les brasseries britanniques.

La **bitter** – ou **ale** – est la bière principale vendue en Grande-Bretagne, de préférence tirée directement du baril. La coûleur varie du jaune doré pâle jusqu'au rubis foncé; c'est une boisson qui se boit en société, souvent contenant seulement un faible degré d'alcool, de 3 à 5% de taux d'alcool par volume. Les visiteurs ne devraient cependant pas oublier qu'une pinte de bitter à 5% est presque deux fois plus forte en alcool qu'une pinte de bitter à 3%! La **bitter** est vendue en bouteilles, en boîtes, et à la pression (**draft**).

La troisième grande catégorie de bière après la bière blonde et la **bitter** sont les bières brunes très foncées, presque noires, au goût très grillé ou rôti, qu'on appelle (selon la région où l'on habite) **stout** ou **porter**. Les stouts les plus connues et l'on pourrait sans doute dire les meilleures sont celles d'Irlande. Les trois marques de ce type les plus populaires sont la *Guinness*, la *Beamish* et la *Murphy*. La stout douce la plus vendue est la *Mackeson*, faite par une brasserie britannique dans le Kent.

Les buveurs britanniques, conscients de la teneur en alcool de leur bière, commandent parfois des **shandys** (panachés), soit une bière blonde soit une bitter mélangée à de la limonade et contenant plus de limonade que de bière.

Cidre Cider

Le cidre, jus de pommes fermenté, est produit à l'échelle industrielle par deux brasseries principales dont les marques respectives, *Strongbow* et *Dry Blackthorn*, dominent le marché des pubs en Grande-Bretagne. (Un cidre plus doux vendu en bouteille est produit par *Bulmer*). Pour ceux qui aimeraient peut-être une version plus robuste du cidre, goûtez au **scrumpy**, fait selon la tradition dans les célèbres régions d'Angleterre productrices de pommes comme le Somerset et le Kent. Il est en général plus fort que les cidres commerciaux, pouvant atteindre jusqu'à 8% d'alcool.

Dans les pubs des grandes régions d'Angleterre productrices de poires, on peut boire une variété de cidre fait avec des poires et appelé **perry**. Comme le scrumpy, il a tendance à être très fort.

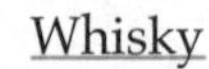

Whisky

On fabrique deux types de whisky en Grande-Bretagne: le whisky irlandais de Belfast en Irlande du Nord, appelé *Bushmill*, et le whisky écossais fabriqué dans toute l'Ecosse. On peut subdiviser le whisky écossais en deux catégories: le whisky de malt mélangé et le whisky pur malt. Comme leur nom l'indique, le premier est un mélange de whiskys venant de la production du distilleur; le second est versé directement dans un baril et n'est pas mélangé, afin d'améliorer la teneur ou le goût. Le whisky pur malt a un léger goût de chêne brûlé dû au baril dans lequel il est conservé. On boit ces deux whiskys «purs» (sans mélanges) ou avec de l'eau de Seltz ou de l'eau plate.

Les touristes qui boivent du whisky (et d'autres alcools d'ailleurs) devraient savoir qu'on ne le verse jamais dans un verre à la main. On trouve cette mesure, appelée **optic**, dans tous les bars ou pubs britanniques. Les clients qui veulent un petit verre demandent un **single** (une seule mesure) et ceux qui veulent un grand verre demandent un **double** (deux mesures).

Apéritifs/Digestifs Aperitifs/After-dinner drinks

Le sherry (ou xérès), un vin fortifié, est extrêmement populaire comme apéritif, et le porto est un digestif très populaire lui aussi. On réserve cependant ce dernier pour les occasions spéciales. **Le Brandy** (cognac), l'armagnac, le madère et le calvados sont aussi des digestifs très appréciés.

Cocktails

Vous trouverez ci-dessous quelques-uns des cocktails britanniques parmi les plus populaires:

bloody Mary *bleudi mèri*

Un cocktail fait de jus de tomate, de vodka et de sauce worcestershire.

buck's fizz *backs fizz*

Une boisson estivale faite de champagne et de jus d'orange.

gin and 'it' *djinn ænd it*

L'équivalent britannique du gin martini américain, il s'agit de gin et de vermouth italien (d'où le «**it**») servi sur des glaçons.

gin and lime *djinn ænd laïme*

Gin et un sirop de citron vert très populaire appelé **lime cordial**.

gin and tonic *djinn ænd tonik*

Une boisson d'été composée de gin et d'une boisson non alcoolisée au goût de quinine appelée «tonic» servie sur des glaçons.

Boissons à faible teneur en alcool
Low alcohol drinks

Afin de vous aider à rester dans la limite du taux d'alcoolémie autorisé, de nombreux pubs offrent désormais de la bitter et de la bière blonde à teneur réduite en alcool, et du cidre en bouteille titrant environ 1%. Seule le succédané de bière blonde *Kalibur* est entièrement sans alcool.

Vins Wine

L'industrie vinicole du sud de la Grande Bretagne est en pleine croissance – et elle prospère – mais peu de vins britanniques sont exportés voire transportés par voie maritime à plus de 80km de leur source d'origine. Toutefois les clients peuvent boire du vin importé de n'importe quel pays vinicole au monde. Lorsque vous étudierez la carte des vins, souvenez-vous que les Britanniques appellent souvent les vins rouges **claret**.

Boissons sans alcool Non-alcoholic drinks

Je voudrais ...	**I'd like ...** *aïd laïk*
un chocolat (chaud)	**a (hot) chocolate** *eu (hot) tchoklit*
un cola/une limonade	**a cola/a lemonade** *eu kauleu/eu lèmeunéid*
un frappé	**a milkshake** *eu milkchéik*
de l'eau minérale	**some mineral water** *sam mineureul ouo:teu*
gazeuse/non gazeuse	**fizzy/still** *fizzi:/stil*
un Schweppes®	**some tonic water** *sam tonik ouo:teu*

blackcurrant juice *blækeurannt djousse*
Sirop de cassis: un mélange de cassis et d'eau ou d'eau gazeuse.

fruit juice *frou:t djousse*
Jus de fruit: orange, tomate, ananas, etc.

lemonade/orangeade *lèmonéid/orænjéid*
En bouteilles ou au robinet, soit gazeuses (**fizzy**) soit non-gazeuses (**still**) sont toutes disponibles.

squash sirop: boisson à base de concentré de fruits – orange, citron, citron vert – et d'eau gazeuse ou d'eau plate.

Thé/café ➤ 40. Le thé est généralement fort et servi avec du lait.

Glossaire de l'alimentation

A

alcoholic drinks boissons alcoolisées
ale bière ➤ 49
allspice quatre-épices
almonds amandes
anchovies anchois
aperitif apéritif ➤ 50
apple pomme
apple charlotte charlotte aux pommes
apple cobbler sorte de dessert aux fruits recouvert de scones
apple crumble «crumble» aux pommes ➤ 48
apple sauce compote de pommes
apricots abricots
artichoke, globe artichaut
artichoke, Jerusalem topinambour
asparagus asperge
at room temperature à la température de la pièce
aubergine aubergine
avocado avocat
avocado with prawns avocat aux crevettes ➤ 43

B

bacon lard
back type de lard maigre
middle type d'entrelardé
streaky entrelardé poitrine
bacon and eggs œufs au lard
bacon buttie sandwich au lard
baked cuit au four
baked apple pomme cuite au four
baked beans haricots blancs à la sauce tomate
baked beans on toast haricots blancs à la sauce tomate sur une tranche de pain grillé
baked ham jambon cuit au four
baked mackerel maquereau cuit au four
baked potato pomme de terre en robe des champs
bakewell tart tarte aux amandes et cerises confites
banana banane
bap (roll) bap (petit pain)
barley orge
basil basilic
bass perche (eau douce); bar/loup (eau de mer)
baste arroser (de jus)
batter pâte à beignets; pâte à friture

battered cod cabillaud enrobé de pâte à friture

bay leaf laurier (sauce)

beans haricots

beef bœuf

beef burgers hamburgers

beef stew ragoût de bœuf

beef wellington filets de bœufs découpés servis avec une farce ➤ 46

beer bière ➤ 49

beetroot betterave

beverage boisson

bilberry airelle; myrtille

biscuit biscuit

bitter *(adj)* amer; *(nom)* bière «bitter»

blackberry mûre

blackcurrant cassis

black pudding boudin noir

blancmange blanc-manger (dessert à base de lait)

bloody mary cocktail au jus de tomates et à la vodka ➤ 50

blue cheese dressing sauce de salade au bleu ➤ 44

blue stilton (fromage) bleu de Stilton

boiled cuit à l'eau; bouilli

boiled eggs œufs à la coque

bowl of cereal bol de céréales

braised braisé

braised oxtail queue de bœuf braisée

brandied au cognac

brandy cognac

brawn fromage de tête

bread pain

breaded pané

bread pudding dessert fait avec du pain beurré, du sucre et du lait, cuit au four

bread sauce sauce au pain

breakfast petit déjeuner

bream brème

breast (of chicken) blanc (de poulet)

broth bouillon

brown bread pain bis

brown sauce sauce marron

Brussels sprouts choux de Bruxelles

bubble and squeak plat de purée de pommes de terre et restes de chou, frits à la poêle ➤ 47

buck rabbit (rarebit) pain grillé au fromage fondu recouvert d'un œuf poché

Buck's fizz champagne et jus d'orange ➤ 50

bun petit pain au lait

butter beurre

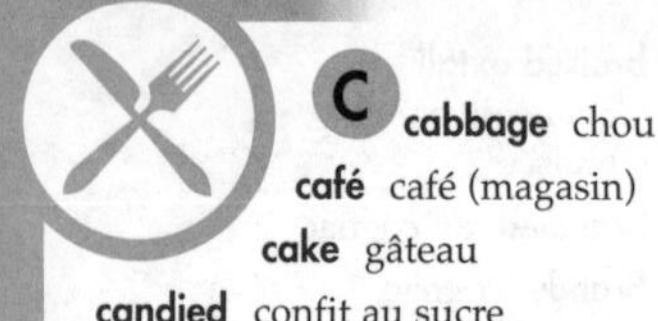

cabbage chou

café café (magasin)

cake gâteau

candied confit au sucre

capers câpres

capsicums piment doux; poivrons

carrots carottes

cashews noix de cajou

cauliflower chou-fleur

cauliflower cheese chou-fleur à la béchamel

celery céleri

cheese fromage

cheesecake gâteau au fromage blanc (et généralement aux fruits)

cheesesticks bâtonnets croustillants au fromage

cherries cerises

chestnuts châtaignes

chicken poulet

chicken breast, leg, wing blanc, cuisse, aile de poulet

chicken broth bouillon de poule

chicken livers foies de volaille

chicken soup soupe au poulet

chilled froid/rafraîchi

chives ciboulette

chocolate chocolat

chocolate cake gâteau au chocolat

chocolate mousse mousse au chocolat

chop (lamb, veal, pork) côte (agneau, veau, porc)

Christmas pudding «pudding de Noël» contenant des fruits secs, de la mie de pain, de la graisse de rognons de bœuf et de l'alcool

chutney condiment à base de fruits

cider cidre ➤ 49

cinnamon cannelle

clams clams

claret vin rouge

clotted cream crème en grumeaux ➤ 34

cloves clous de girofle

cob nuts grosses noisettes

cobbler tourte aux fruits

cock-a-leekie soup soupe au poulet et poireaux ➤ 44

cockles coques

cod cabillaud

codfish cakes galettes de cabillaud

coffee café

coffee shop brûlerie

coleslaw salade de chou cru, carottes et oignons en mayonnaise

condensed milk lait condensé

condiment condiment

consommé (beef, chicken) consommé (bœuf, poulet)

coriander coriandre

corn maïs

corn on the cob épi de maïs ➤ 43

corned beef corned beef

cottage cheese fromage blanc

courgettes courgettes

cover charge couvert (à payer)

crab crabe

crackling couenne grillée

cranachan dessert écossais au fromage aux fraises, framboises, miel, crème et whisky

crayfish écrevisses

cream crème

clotted en grumeaux ➤ 34

double épaisse

single liquide

soured aigre

whipped fouettée

crème caramel crème caramel

cress cresson

crisps (with vinegar, plain or cheese-flavoured) chips (au vinaigre, nature, au fromage)

crowdie (cheese) dessert écossais au fromage aux fraises, framboises, miel, crème et whisky

crumble dessert aux fruits recouvert de pâte émiettée, cuit au four ➤ 48

crumbly (cheese) friable (fromage)

crumpet petite crêpe épaisse servie chaude et beurrée

cucumber concombre

cucumber salad concombre en salade

cucumber sandwich sandwich au concombre

Cumberland sauce sauce à base de gelée de groseilles, porto, orange, citron, moutarde et gingembre

Cumberland sausage saucisse de cumberland (au porc, herbes et poivre noir)

cup of tea, coffee, hot chocolate tasse de thé, café, chocolat chaud

currants raisins de Corinthe

curry curry

curry powder curry en poudre

curried eggs œufs au curry

custard crème anglaise

cutlet côtelette

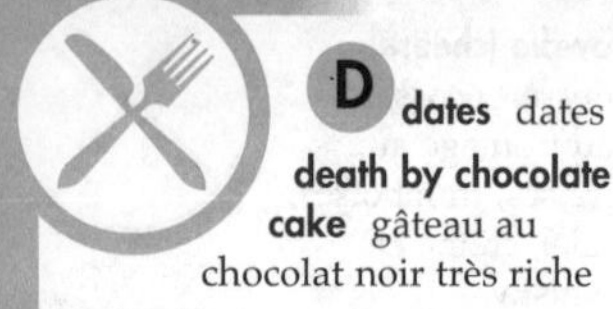

D

dates dates

death by chocolate cake gâteau au chocolat noir très riche ➤ 48

decaffeinated coffee café décaféiné

desserts desserts

devilled kidneys rognons à la diable

diced coupé en dés

dill aneth

dinner dîner

dips sauces froides dans lesquelles on trempe des crudités ou des biscuits apéritif

dog fish roussette / chien de mer

double cream crème fraîche épaisse

dough pâte (à pain / pizza)

doughnuts beignets

dover sole sole ➤ 45

dressed crab crabe en salade

dried fruit fruits secs

drinks boissons

dry sec

duck canard

duckling caneton

dumplings boulettes de pâte

E

eel anguille

egg œuf

egg mayonnaise sandwich sandwich aux œufs mayonnaise

endive endive

escalope escalope

espresso express (café)

F

faggots boulettes de viande servies avec une sauce à l'oignon

fairy cake genre de madeleine

fast food fast food

fennel fenouil

fig figue

filet steak bifteck dans le filet

fillet filet

fish poisson

flambe flambé

flounder flet

fool dessert aux fruits et à la crème fouettée

French beans haricots verts

French bread baguette

French dressing vinaigrette

fresh frais

fried frit

fried bread pain frit

fried eggs œufs sur le plat
fried mushrooms champignons frits
fried onions oignons frits
fritter beignet
fruit fruit
fruit juice jus de fruit
fry-up saucisses, œufs, bacon etc frits ensemble à la poêle

G

game pie pâté de gibier en croûte
gammon jambon fumé (soit en rôti soit coupé en tranches épaisses)
garlic ail
garlic bread pain à l'ail
garlic mushrooms champignons à l'ail
gherkins cornichons
gin and 'it' gin et vermouth italien ➤ 50
gin and lime gin et sirop de citron vert ➤ 50
gin and tonic gin tonic ➤ 50
ginger gingembre
ginger ale boisson gazeuse au gingembre
ginger beer boisson gazeuse au gingembre
gingernuts gâteaux secs au gingembre
glass of beer verre de bière
glass of (fruit) juice verre de jus de fruit
glass of milk verre de lait
glass of water verre d'eau
glazed glacé (recouvert d'un glaçage)
goose oie
gooseberries groseilles à maquereau
gooseberry sauce sauce aux groseilles à maquereau
grape raisin
grape juice jus de raisin
grapefruit pamplemousse
grapefruit juice jus de pamplemousse
gravy jus de viande
green peppers poivrons verts
green salad salade verte
greens légumes verts
grilled grillé/cuit au gril
grilled dover sole sole grillée ➤ 45
grouse grouse
guinea fowl pintade

H

haddock aiglefin
half (a grapefruit) demi pamplemousse
ham jambon

ham and eggs jambon aux œufs
ham off the bone jambon à l'os
hamburger hamburger
hard boiled eggs œufs durs
hare lièvre
hazelnuts noisettes
herbs herbes culinaires
herring hareng
home cooked réchauffé sur place
home made fait maison; cuisiné maison
honey miel
horseradish raifort
hot chaud
hot chocolate chocolat chaud
house wine cuvée du patron

I

ice cream glace
instant coffee café soluble

J

jam bun petit pain à la confiture
jacket potato pomme de terre en robe des champs ➤ 47
jellied eel anguilles en gelée ➤ 45
jelly gelée
John Dory Saint-Pierre; dorée
jugged hare civet de lièvre

K

kale chou frisé
kebabs brochettes
kedgeree pilaf de poisson ➤ 45
ketchup ketchup
kippers harengs fumés et salés

L

lamb agneau
lamb stew (Irish) ragoût d'agneau
lard saindoux
leeks poireaux
leek and potato soup vichyssoise
leg of lamb gigot d'agneau
leg of mutton gigot de mouton
lemon citron
lemon juice jus de citron
lemon meringue pie tarte au citron meringuée
lemon rind zeste de citron
lemon squash sirop de citron
lemonade limonade
lentils lentilles
lettuce laitue
lime citron vert
lime cordial sirop de citron vert
lime juice jus de citron vert
liver (calves', pigs', lambs') foie (de veau, porc, agneau)

liver and bacon foie au lard

liver sausage saucisse de foie

lobster homard

low alcohol drinks boissons à teneur réduite en alcool ➤ 51

M

macaroni macaronis

mace macis

mackerel maquereau

malt malt

malt vinegar vinaigre de malt

malt whisky whisky de malt

margarine margarine

marinated mariné

marjoram marjolaine

marmalade marmelade

marrow courge

mash purée

mashed potatoes purée de pommes de terre

mature (cheese) bien fait (fromage)

mayonnaise mayonnaise

meat viande

meat pie pâté à la viande

melon melon ➤ 43

meringue meringue

mild (cheese) doux (fromage)

milk lait

milk shake milk shake; lait frappé

minced beef bœuf haché

mincemeat hachis de fruits secs, de pommes et de graisse imbibé d'alcool

mineral water eau minérale

mint menthe

mint sauce sauce à la menthe

mixed grill assortiment de grillades (saussices, lard, rognons etc.)

mixed salad salade composée

mixed vegetables macédoine de légumes

molasses mélasse

monkfish lotte

muffins petit pain rond et plat (version américaine: parfois aux fruits ou au chocolat)

mullet (red/white) mulet (rouge/ blanc)

mushrooms champignons

mushy peas purée de pois ➤ 47

mussels moules

mustard moutarde

mutton mouton

N

neat pur

nectarine nectarine; brugnon

non-alcoholic drinks boissons non alcoolisées ➤ 51

noodles nouilles

nutmeg (noix de) muscade

O

oats avoine

oatmeal farine d'avoine

octopus pieuvre

olive olive

olive oil huile d'olive

omelette omelette

onions oignons

onion gravy sauce à l'oignon

onion rings beignets d'oignons en rondelles panés

onion soup soupe à l'oignon

orange orange

orange juice jus d'orange

orange marmalade marmelade d'orange

orange squash sirop d'orange

orangeade orangeade

oregano origan

ox tongue langue de bœuf

oxtail queue de bœuf

oxtail soup soupe à la queue de bœuf

oysters huîtres

P

paprika paprika

parsley persil

parsley sauce sauce au persil

parsnips panais

partridge perdrix

pasta pâtes

pastry pâtisserie; pâte à tarte

pâté pâté

peach pêche

peanuts cacahuètes

dry roasted grillées à sec

salted salées

pear poire

peas petits pois

peeled épluché

pepper poivre

peppers poivrons

pepper corn grain de poivre

pepperoni saucisse de porc et de bœuf très épicée

perch perche

perry «cidre» de poire ➤ 49

pheasant (cock/hen) faisan (faisan/poule faisane)

pickle petits légumes macérés dans du vinaigre

pickled macéré dans du vinaigre

pickled onions oignons au vinaigre

pie pâté en croûte

pig's head tête de cochon

pig's trotters pieds de cochon

pigeon pigeon

pike brochet
pimientos piments
pineapple ananas
pineapple juice jus d'ananas
pistachios pistaches
plaice carrelet
ploughman' s lunch assiette froide de fromage, pain de campagne, salade et «pickles» ➤ 48
plum prune
port porto
porter bière brune
porterhouse steak châteaubriand
pot of tea théière de thé
pot roast braisé, cuit en cocotte
potato pomme de terre
potato crisps chips
potato skins peaux de pommes de terre farcies ➤ 43
potted shrimp crevettes en ramequin
prawn crevettes
prawn cocktail crevettes en salade (avec une sauce mayonnaise des Mille Iles) ➤ 43
prawn (mayonnaise) sandwich sandwich aux crevettes mayonnaise
prunes pruneaux
pumpkin citrouille; potiron

Q

quail caille
quince coing

R

rabbit lapin
raisins raisins secs
raspberry framboise
redcurrants groseilles
rhubarb rhubarbe
rice riz
rollmops (herring) rollmops ➤ 43
rosemary romarin

S

saddle selle
saffron safran
sage sauge
salad salade; crudités
salmon saumon
salt sel
sandwich sandwich
sardines sardines
satsumas satsumas (genre de mandarines)
sauce sauce
sausage saucisses
savoury salé
scallops coquilles St-Jacques
scampi langoustines panées
scampi and chips langoustines panées servies avec des frites ➤ 45

scone scone
scotch whisky
scotch and soda whisky et eau de Seltz
Scotch broth potage au mouton, légumes et orge ➤ 44
Scotch eggs œufs durs enrobés de chair à saucisse et panés
Scotch pancakes petite crêpe épaisse
Scotch whisky whisky écossais; scotch ➤ 50
scrambled eggs œufs brouillés
seafood fruits de mer
set meal menu
shallot échalote
shandy panaché ➤ 49
shank jarret
shellfish coquillage
shepherd's pie hachis parmentier ➤ 46
sherbet sorbet
sherry sherry; xérès
short crust pastry pâte brisée
shortbread sablé au beurre (spécialité écossaise)
shoulder of lamb épaule d'agneau
single cream crème fraîche liquide
sirloin steak bifteck dans l'aloyau
skimmed milk lait écrémé
smoked finnan haddock haddock fumé
smoked haddock haddock fumé
smoked ham jambon fumé
smoked oysters huîtres fumées
smoked salmon saumon fumé ➤ 43
smoked salmon sandwich sandwich au saumon fumé
soda boisson gazeuse (sucrée)
soda water eau de Seltz
soft boiled eggs œufs à la coque
soft drinks boissons non alcoolisées
sole sole
soup soupe; potage ➤ 44
soup of the day potage du jour
soured cream crème aigre
soused herring hareng mariné
sparkling wine vin pétillant; mousseux
spicy épicé
spinach épinards
split peas pois cassés
sponge-cake sorte de biscuit de Savoie
spotted dick dessert cuit à la vapeur avec des raisins de Corinthe ➤ 48
spring onions ciboule; cive
squash sirop de fruits ➤ 51

squid calmar

starter entrée

steak bifteck; steak

steak and kidney pie mélange de bœuf et de rognons en saute recouvert de croûte ➤ 46

still non gazeux

stock (court)-bouillon

stout bière brune

strawberry fraise

streaky (bacon) lard (poitrine salée)

stuffed farci

suckling pig cochon de lait

sugar sucre

sultanas raisins de Smyrne

summer pudding «pudding» à base de mie de pain fourré aux fruits rouges

swedes rutabagas

sweet sucré

sweetbreads ris de veau

sweetcorn maïs

syllabub sabayon ➤ 48

syrup sirop (de sucre)

T

tangerine clémentine

tarragon estragon

tarts tartes

tavern taverne; auberge

tea thé

tea with milk thé au lait

tenderloin faux filet

Thousand island dressing sauce mayonnaise des Mille Iles ➤ 44

thyme thym

tip pourboire

toast pain grillé

toasted cheese sandwich sorte de croque-monsieur (sans jambon!)

toastie sorte de croque-monsieur

tomato tomate

tomato juice jus de tomate

(tomato) ketchup ketchup

tomato salad salade de tomates

tomato sauce sauce tomate

tomato soup soupe à la tomate

treacle mélasse

treacle tart tarte à la mélasse raffinée

trifle sorte de diplomate ➤ 48

tripe tripes

trout truite

tuna thon

tuna fish (mayonnaise) sandwich sandwich au thon (avec mayonnaise)

turbot turbot

turkey dinde

turnips navets

vanilla vanille

veal veau

vegetable légume

vegetable soup soupe de légumes

venison sausages saucisse de venaison

vermouth vermouth

vinegar vinaigre

walnuts noix

watercress cresson (de fontaine)

watercress salad cresson en salade

watercress soup soupe au cresson

watermelon pastèque

well done bien cuit

Welsh rabbit (rarebit) toast au fromage ➤ 48

whelks bulots

whipped cream crème fouettée

white bread pain blanc (en général genre pain de mie)

white coffee café au lait

white wine vin blanc

whitebait friture ➤ 43

whiting merlan

wholemeal complet (pain, pâtes, pâte à pizza, etc.)

wild boar sanglier

winkles bigorneaux

woodcock bécasse des bois

Worcestershire sauce sauce worcestershire (épicée au soja et au vinaigre)

yam igname; patate douce

yeast levure

yellow peas pois jaunes

yoghurt yaourt

Voyage

L'ESSENTIEL

1/2/3 pour …	**One/two/three for …** *ouann/tou:/THri: fo:*
A …, s.v.p.	**To …, please.** *tou … pli:z*
aller-simple	**single** *sinngueul*
aller-retour	**return** *riteu:n*
C'est combien?	**How much?** *haou match*

Sécurité Safety

Pourriez-vous m'accompagner …?	**Would you accompany me …?** *woud you: eukammpeuni mi:*
jusqu'à l'arrêt d'autobus	**to the bus stop** *tou DTHeu bass stop*
jusqu'à mon hôtel	**to my hotel** *tou maï hautèl*
Je ne veux pas … tout(e) seul(e).	**I don't want to … on my own.** *aï daunt ouonnt tou … onn maï aunn*
rester ici	**stay here** *stéi hieu*
rentrer chez moi à pied	**walk home** *ouo:k haum*
Je ne me sens pas en sécurité ici.	**I don't feel safe here.** *aï daunt fi:l séif hieu*

POLICE ➤ 161; URGENCES ➤ 224

Arrivée Arrival

Documents requis

Les visiteurs français et belges devront être munis d'une carte d'identité ou d'un passeport en cours de validité. Les visiteurs venant de la Suisse devront présenter une carte d'identité ou un passeport en cours de validité, et une carte de visiteur (**visitor's card**). Les Canadiens n'auront besoin que d'un passeport valide.

Les restrictions de produits hors taxes (**duty-free**) à l'entrée des pays suivants sont:

	Cigarettes	Cigares	Tabac	Alcools	Vin
Grande-Bretagne	200	50	250g	1*l*	ou 2*l*
France/Belgique/ Luxembourg	200	50	250g	1*l*	ou 2*l*
Suisse 1)	200 ou	50 ou	250g	1*l*	et 2*l*
2)	400 ou	100 ou	500g	1*l*	et 2*l*
Canada	200 et	50 et	400g	1*l*	ou 1*l*

1) résident de l'UE ; 2) non-résident de l'UE

Au sein de l'Union européenne, les restrictions à l'importation d'articles non détaxés (**duty-paid**) sont les suivantes: 800 cigarettes, 200 cigares, 1kg de tabac; 90l de vin, 20l de liqueurs, 10l d'alcool, 110l de bière.

Animaux: la Grande-Bretagne impose une quarantaine (**quarantine**) de six mois à tous les animaux venant du continent. Ne faites passer aucun animal illégalement – vous mettriez sa vie sérieusement en danger.

Contrôle des passeports Passport control

Nous avons un passeport joint. — **We have a joint passport.** *oui: hæv eu djoïnt pa:sspo:t*

Les enfants sont sur ce passeport. — **The children are on this passport.** *DTHeu tchildreunn a: onn DTHis pa:sspo:t*

Je suis ici en vacances/pour affaires. — **I'm here on holiday/business.** *aïm hieu onn holidéi/bizniss*

Je suis en transit. — **I'm just passing through.** *aïm djast pa:ssinng THrou:*

Je vais à … — **I'm going to …** *aïm gau:inng tou*

Je suis … — **I'm …** *aïm*

tout(e) seul(e) — **on my own** *onn maï aunn*

avec ma famille — **with my family** *ouiDTH maï fæmili:*

avec un groupe — **with a group** *ouiDTH eu grou:p*

FAMILLE ➤ 120

Douane Customs

Je n'ai que les quantités autorisées.	**I've only got the normal allowances.** *aïv aunli got DTHeu no:meul eulaoueunnsiz*
C'est un cadeau.	**It's a gift.** *its eu guift*
C'est pour mon usage personnel.	**It's for my personal use.** *its fo: maï peu:sseuneul you:ss*

Do you have anything to declare?	Avez-vous quelque chose à déclarer?
You must pay duty on this.	Il y a des droits de douane à payer sur cet article.
Where did you buy this?	Où avez-vous acheté ceci?
Please open this bag.	Pouvez-vous ouvrir ce sac, s.v.p.?
Have you got any more luggage?	Avez-vous d'autres bagages?

Je voudrais déclarer ...	**I'd like to declare ...** *aïd laïk tou diklè:*
Je ne comprends pas.	**I don't understand.** *aï daunt anndeustænd*
Y a-t-il quelqu'un ici qui parle français?	**Does anyone here speak French?** *daz ènìouann hieu spi:k frèntch*

PASSPORT CONTROL	contrôle des passeports
BORDER CROSSING	poste frontière
CUSTOMS	douane
NOTHING TO DECLARE	rien à déclarer
GOODS TO DECLARE	marchandises à déclarer
DUTY-FREE GOODS	marchandises hors taxe

Marchandises hors taxe Duty-free shopping

C'est en quelle monnaie?	**What currency is this in?** *ouat kareunnsi iz DTHis inn*
Est-ce que je peux payer en ...?	**Can I pay in ...?** *kæn aï péi inn*
euros	**euros** *yourause*
livres	**pounds** *paoundz*
dollars	**dollars** *doleuz*

PROBLEMES DE COMMUNICATION ➤ 11

Avion Plane

Les compagnies aériennes **British Airways** et **British Midland** desservent régulièrement l'Ecosse (Edimbourg, Glasgow et Aberdeen) et l'Irlande (Belfast, Dublin) depuis Londres ou Birmingham. La compagnie irlandaise **Aer Lingus** effectue de nombreux vols entre Londres et l'Irlande et la **Jersey European Airways** assure des vols vers les îles Anglo-Normandes (Jersey ou Guernesey).

Billets et réservations Tickets and reservations

A quelle heure est le … vol pour Dublin?	**When is the … flight to Dublin?** *ouèn iz DTHeu … flaït tou dublinn*
premier/prochain/dernier	**first/next/last** *feu:st/nèkst/la:st*
Je voudrais deux billets …	**I'd like two … tickets.** *aïd laïk tou: … tikits*
aller-simple	**single** *sinngueul*
aller-retour	**return** *riteu:n*
première classe	**first class** *feu:st kla:ss*
classe affaires	**business class** *bizniss kla:ss*
classe économique	**economy class** *ikonneumi kla:ss*
Combien coûte un vol pour …?	**How much is a flight to …?** *haou match iz eu flaït tou*
Je voudrais … ma réservation pour le vol numéro 154.	**I'd like to … my reservation for flight number 154.** *aïd laïk tou … maï rèzeuvéicheunn fo: flaït nammbeu 154*
annuler	**cancel** *kænseul*
changer	**change** *tchéindj*
confirmer	**confirm** *keunnfeu:m*

Questions sur le vol Inquiries about the flight

Y a-t-il des suppléments/réductions?	**Are there any supplements/discounts?** *a: DTHè: èni saplimeunnts/diskaounts*
A quelle heure part l'avion?	**What time does the plane leave?** *ouat taïm daz DTHeu pléin li:v*
A quelle heure arriverons-nous?	**What time will we arrive?** *ouat taïm ouil oui: euraïv*
A quelle heure est l'enregistrement?	**What time do I have to check in?** *ouat taïm dou: aï hæv tou tchèk inn*

CHIFFRES ➤ 216; HEURES ➤ 220

Enregistrement Checking in

Où est le bureau d'enregistrement pour le vol ...?	**Where is the check-in desk for flight ...?** *ouè: iz DTHeu tchèk-inn dèsk fo: flaït*
J'ai ...	**I've got ...** *aïv got*
3 valises à faire enregistrer	**three cases to check in** *THri: kéissiz tou tchèk inn*
2 bagages à main	**two pieces of hand luggage** *tou: pi:ssiz ov hænd laguidj*

Your ticket/passport please.	Votre billet/passeport, s.v.p.
Would you like a window or an aisle seat?	Voulez-vous un siège près de la fenêtre ou près de l'allée?
Smoking or non-smoking?	Fumeur ou non-fumeur?
Please go through to the departure lounge.	Veuillez vous rendre dans la salle de départ.
How many pieces of luggage have you got?	Combien de bagages avez-vous?
You have excess luggage.	Vos bagages sont trop lourds.
You'll have to pay a supplement of £ ...	Vous devrez payer un supplément de ... £.
That's too heavy/large for hand luggage.	Ceci est trop lourd/grand pour les bagages à main.
Did you pack these bags yourself?	Avez-vous fait vos valises vous-même?
Do they contain any sharp or electrical items?	Est-ce qu'ils contiennent des objets pointus ou électriques?

ARRIVALS	arrivées
DEPARTURES	départs
SECURITY CHECK	contrôle de sécurité
DO NOT LEAVE LUGGAGE UNATTENDED	ne laissez pas vos bagages sans surveillance

BAGAGES ➤ *71*

Renseignements Information

Est-ce que le vol … a du retard?	**Is there any delay on flight …?** *iz DTHè: <u>è</u>ni di<u>léi</u> onn flaït*
Il a combien de retard?	**How late will it be?** *h<u>a</u>ou léit ou<u>il</u> it bi:*
Est-ce que le vol de … est arrivé?	**Has the flight from … landed?** *hæz DTHeu flaït from … <u>læn</u>did*
De quelle porte part le vol …?	**Which gate does flight … leave from?** *ou<u>itch</u> guéit daz flaït … li:v from*

Embarquement/Vol Boarding/In-flight

Votre carte d'embarquement, s.v.p.	**Your boarding pass, please.** *yo: <u>bo:</u>dinng pa:ss pli:z*
Est-ce que je pourrais avoir quelque chose à boire/à manger?	**Could I have a drink/something to eat?** *koud aï hæv eu drinngk/<u>sam</u>THinng tou i:t*
Pouvez-vous me réveiller pour le repas, s.v.p.?	**Please wake me up for the meal.** *pli:z ou<u>é</u>ik mi: up fo: DTHeu mi:l*
A quelle heure arriverons-nous?	**What time will we arrive?** *ou<u>at</u> taïm ou<u>il</u> oui: eu<u>raïv</u>*
Un sac vomitoire, s.v.p.	**A sick bag, please.** *eu sik bæg pli:z*

Arrivée Arrival

Où est/sont le/la/les …?	**Where is/are the …?** *ouè: iz/a: DTHeu*
autobus	**buses** *<u>bas</u>siz*
bureau de change	**bureau de change** *«bureau de change»*
bureau de location de voitures	**car hire office** *ka: <u>hi:</u>yeu <u>o</u>fiss*
sortie	**exit** *<u>èk</u>sit*
taxis	**taxis** *<u>tæk</u>siz*
Est-ce qu'il y a un bus pour aller en ville?	**Is there a bus into town?** *iz DTHè: eu bass <u>inn</u>tou taoun*
Comment est-ce que je peux me rendre à l'hôtel …?	**How do I get to the … Hotel?** *haou dou: aï guètt tou DTHeu … hau<u>tèl</u>*

BAGAGES ➤ 71; DOUANE ➤ 66–67

Bagages Luggage

Pourboire: si vous souhaitez remercier le bagagiste, donnez-lui un pourboire de 50p minimum par valise.

Porteur! Excusez-moi!	**Porter! Excuse me!** *po:teu! ikskyou:z mi:*
Pourriez-vous emporter mes bagages jusqu'à ...?	**Could you take my luggage to ...?** *koud you: téik maï laguidj tou*
un taxi/bus	**a taxi/bus** *eu tæksi/bass*
Où est/sont ...?	**Where is/are ...?** *ouè: iz/a:*
les chariots à bagages	**the luggage trolleys** *DTHeu laguidj troliz*
la consigne automatique	**the luggage lockers** *DTHeu laguidj lokeuz*
la consigne	**the left-luggage office** *DTHeu lèft-laguidj ofiss*
Où sont les bagages du vol ...?	**Where is the luggage from flight ...?** *ouè: iz DTHeu laguidj from flaït*

Perte/Dommages/Vol Loss/Damage/Theft

J'ai perdu mes bagages.	**I've lost my luggage.** *aïv lost maï laguidj*
On m'a volé mes bagages.	**My luggage has been stolen.** *maï laguidj hæz bi:n stauleunn*
Ma valise a été abîmée.	**My suitcase was damaged.** *maï sou:tkéiss ouaz dæmidjd*
Nos bagages ne sont pas arrivés.	**Our luggage has not arrived.** *aoueu laguidj hæz not euraïvd*

What does your luggage look like?	Comment sont vos bagages?
Have you got the reclaim tag?	Avez-vous le ticket de consigne?
Your luggage ...	Vos bagages ...
may have been sent to ...	ont peut-être été envoyés à ...
may arrive later today.	arriveront peut-être dans la journée.
Please come back tomorrow.	Veuillez revenir demain, s.v.p.
Call this number to check if your luggage has arrived.	Téléphonez à ce numéro pour savoir si vos bagages sont arrivés.

POLICE ➤ 161; COULEURS ➤ 144

Train Train

Eurostar: le train à grande vitesse Eurostar relie Paris (Gare du Nord) à Londres en trois heures et Bruxelles (Bruxelles Midi) à Londres en 3h15. Les arrivées dans la capitale londonienne se font à la gare **Waterloo International**. L'Eurostar ne prend que des passagers piétons et la réservation est obligatoire. Sur la ligne Paris-Londres, certains trains s'arrêtent à Lille (Lille Europe), Calais-Fréthun et Ashford (sud de l'Angleterre).

Le Shuttle/La navette Eurotunnel: les voitures sont acheminées par navettes ferroviaires de Calais à Folkestone en 35 minutes (45 minutes la nuit). La navette fonctionne 24h sur 24, 365 jours par an. Aux heures d'affluence, il y a un départ pour l'Angleterre toutes les 15 minutes. Il n'y a pas de réservation.

Le réseau ferroviaire intérieur: la compagnie ferroviaire nationale, autrefois appelée **British Rail,** a été divisée en de nombreuses compagnies régionales. Cependant on peut encore acheter des billets nationaux, mais il est conseillé de se renseigner au préalable à la gare. Le **BritRail Pass**, qui n'est pas en vente en Grande-Bretagne, mais que vous pourrez vous procurer auprès des agences de voyages de votre pays, permet de voyager librement dans tout le Royaume-Uni pour des périodes variables (4, 8, 15 jours ou un mois). Le **Freedom of Scotland Travelpass** offre des voyages illimités pour des périodes determinées (8, 15 jours) sur le réseau écossais. Le **BritRail SouthEast Pass** est un forfait pour le réseau du Sud-Est (autour de Londres). Il ne peut pas être acheté en Grande-Bretagne.

Le **DLR** (**Docklands Light Railway**) est un réseau futuriste de trains entièrement automatiques desservant le sud-est de Londres (départ à la station de métro Bank ou Tower Hill).

Les gares (**stations**): A Londres, les gares principales sont Paddington, Euston, King's Cross, St Pancras, Liverpool Street, Victoria, Charing Cross et Waterloo (Eurostar).

A la gare To the station

Pour aller à la gare (principale)?	**How do I get to the (main) railway station?** *haou dou: aï guètt tou DTHeu (méin) réilouéi stéicheunn*
Est-ce que les trains pour … partent de la gare …?	**Do trains to … leave from … Station?** *dou: tréinnz tou … li:v from … stéicheunn*
C'est loin?	**Is it far?** *iz it fa:*
Est-ce que je peux y laisser ma voiture?	**Can I leave my car there?** *kæn aï li:v maï ka: DTHè:*

A la gare At the station

Où est/sont le/la/les …?	**Where is/are the …?** *ouè: iz/a: DTHeu*
bureau de change	**bureau de change** *«bureau de change»*
bureau des objets trouvés	**lost property office** *lost propeuti ofiss*
bureau des renseignements	**information desk** *innfeuméicheunn dèsk*
consigne	**baggage check** *bæguidj tchèk*
consigne automatique	**luggage lockers** *laguidj lokeuz*
guichet	**ticket office** *tikit ofiss*
quais	**platforms** *plætfo:mz*
salle d'attente	**waiting room** *ouéitinng rou:m*
snack-bar	**snack bar** *snæk ba:*

ENTRANCE	entrée
EXIT	sortie
RESERVATIONS	réservations
INFORMATION	renseignements
TO THE PLATFORMS	accès aux quais
ARRIVALS	arrivées
DEPARTURES	départs

DEMANDER SON CHEMIN ➤ *94*

Billets Tickets

Le contrôle des billets se fait généralement à bord des trains par un contrôleur (**inspector**).

Où puis-je acheter un billet?	**Where can I buy a ticket?** *ouè: kæn aï baï eu tikit*
Je voudrais un billet ….	**I'd like a … ticket.** *aïd laïk eu … tikit*
aller-simple	**single** *sinngueul*
aller-retour	**return** *riteu:n*
de première/deuxième classe	**first/second class** *feu:st/sèkeunnd kla:ss*
à prix réduit	**concessionary** *keunnsècheunneuri*
Je voudrais réserver un siège.	**I'd like to reserve a seat.** *aïd laïk tou rizeu:v eu si:t*
siège près de l'allée	**aisle seat** *aïl si:t*
siège près de la fenêtre	**window seat** *ouinndau si:t*
Est-ce qu'il y a un wagon-lit?	**Is there a sleeping car?** *iz DTHè: eu sli:pinng ka:*
Je voudrais une couchette.	**I'd like a … berth.** *aïd laïk eu … beu:TH*
supérieure/inférieure	**upper/lower** *apeu/laueu*

Prix Price

C'est combien?	**How much is that?** *haou match iz DTHæt*
Y a-t-il une réduction pour …?	**Is there a discount for …?** *iz DTHè: eu diskaount fo:*
les enfants/les familles	**children/families** *tchildreunn/fæmiliz*
les personnes âgées	**senior citizens** *si:nieu sitizeunnz*
les étudiants	**students** *styou:deunnts*
Est-ce que vous offrez un aller-retour dans la même journée bon marché?	**Do you offer a cheap day return?** *dou: you: ofeu eu tchi:p déi riteu:n*

CHIFFRES ➤ 216; JOURS DE LA SEMAINE ➤ 218

Questions Queries

Est-ce que je dois changer de train? — **Do I have to change trains?**
dou: aï hæv tou tchéindj tréinnz

C'est direct. — **It's a direct train.**
its eu daïrèkt tréinn

Vous avez une correspondance à … — **You have to change at …**
you: hæv tou tchéindj æt

Est-ce que je peux revenir avec le même billet? — **Can I return on the same ticket?**
kæn aï riteu:n onn DTHeu séim tikit

Ce billet est valable pour combien de temps? — **How long is this ticket valid for?**
haou lonng iz DTHis tikit vælid fo:

Est-ce que je peux emporter mon vélo dans le train? — **Can I take my bicycle on the train?**
kæn aï téik maï baïsikeul onn DTHeu tréinn

Dans quel wagon est mon siège? — **Which coach is my seat in?**
ouitch kau:tch iz maï si:t inn

Est-ce qu'il y a un wagon-restaurant dans le train? — **Is there a dining car on the train?**
iz DTHè: eu daïninng ka: onn DTHeu tréinn

– I'd like a ticket for Brighton, please.
(Je voudrais un billet pour Brighton, s.v.p.)
– *Single or return? (Aller-simple ou aller-retour?)*
– Return, please. (Aller-retour, s.v.p.)
– *That's fourteen pounds twenty.*
(Ça fait quatorze livres vingt.)
– Do I have to change trains?
(Est-ce qu'il faut changer de train?)
– *Yes, you have to change at Clapham Junction.*
(Oui, il faut changer à Clapham Junction.)
– Thank you. Bye. (Merci. Au revoir.)

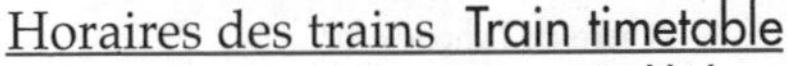

Horaires des trains Train timetable

Est-ce que je pourrais avoir un horaire? — **Could I have a timetable?**
koud aï hæv eu taïmtéibeul

A quelle heure est le … train pour …? — **When is the … train to …?**
ouèn iz DTHeu … tréinn tou

premier/prochain/dernier — **first/next/last** *feu:st/nèkst/la:st*

HEURES ➤ *220*

Combien de fois par jour est-ce qu'il y a des trains pour …?	**How frequent are the trains to …?** *haou fri:koueunnt a: DTHeu tréinns tou*
une/deux fois par jour	**once/twice a day** *ouannss/touaïss eu déi*
cinq fois par jour	**five times a day** *faïv taïmz eu déi*
toutes les heures	**every hour** *èvri aoueu*
A quelle heure partent-ils?	**What time do they leave?** *ouat taïm dou: DTHéi li:v*
toutes les heures/à l'heure juste	**on the hour** *onn DTHi aoueu*
vingt minutes après l'heure	**twenty minutes past the hour** *touènti minits pa:st DTHi aoueu*
A quelle heure le train s'arrête-t-il à …?	**What time does the train stop at …?** *ouat taïm daz DTHeu tréinn stop æt*
A quelle heure le train arrive-t-il à …?	**What time does the train arrive in …?** *ouat taïm daz DTHeu tréinn euraïv inn*
Combien de temps dure le voyage?	**How long is the journey?** *haou lonng iz DTHEu djeu:ni*
Est-ce que le train est à l'heure?	**Is the train on time?** *iz DTHeu tréinn onn taïm*

Départs Departures

De quel quai part le train pour …?	**Which platform does the train to … leave from?** *ouitch plætfo:m daz DTHeu tréinn tou … li:v from*
Où est le quai numéro 4?	**Where is platform 4?** *oué: iz plætfo:m fo:*
là-bas	**over there** *auveu DTHè:*
à gauche/à droite	**on the left/on the right** *onn DTHeu lèft/onn DTHeu raït*
Où est-ce que je dois changer pour …?	**Where do I change for …?** *ouè: dou: aï tchéindj fo:*
Combien de temps dois-je attendre pour une correspondance?	**How long will I have to wait for a connection?** *haou lonng ouil aï hæv tou ouéit fo: eu keunèkcheunn*

EXPRESSIONS COURANTES ➤ 10–19; HEURES ➤ 220

Embarquement Boarding

Est-ce bien le bon quai pour le train pour ...?	**Is this the right platform for the train to ...?** *iz DTHis DTHeu raït plætfo:m fo: DTHeu tréinn tou*
Est-ce que c'est bien le train pour ...?	**Is this the train to ...?** *iz DTHis DTHeu tréinn tou*
Est-ce que cette place est occupée/prise?	**Is this seat taken?** *iz DTHis si:t téikeunn*
Je crois que c'est ma place.	**I think that's my seat.** *aï THinngk DTHæts maï si:t*
Est-ce qu'il y a des places/couchettes libres?	**Are there any available seats/berths?** *a: DTHè: èni euvéileubeul si:ts/beu:THs*
Est-ce que ça vous dérange si ...?	**Do you mind if ...?** *dou: you: maïnd if*
je m'asseois ici	**I sit here** *aï sit hieu*
j'ouvre la fenêtre	**I open the window** *aï aupeunn DTHeu ouinndau*

Pendant le voyage On the trip

Combien de temps est-ce que nous nous arrêtons ici?	**How long are we stopping here for?** *haou lonng a: oui: stopinng hieu fo:*
A quelle heure arrivons-nous à ...?	**When do we get to ...?** *ouèn dou: oui: guètt tou*
Est-ce que nous sommes passés à ...?	**Have we passed ...?** *hæv oui: pa:sst*
Où est le wagon-restaurant/wagon-lit?	**Where is the dining/sleeping car?** *ouè: iz DTHeu daïninng/sli:pinng ka:*
Où est ma couchette?	**Where is my berth?** *ouè: iz maï beu:TH*
J'ai perdu mon billet.	**I've lost my ticket.** *aïv lost maï tikit*

EMERGENCY BRAKE	arrêt d'urgence
ALARM	sonnette d'alarme
AUTOMATIC DOORS	portes automatiques

HEURES ➤ 220

Autocar Coach

Les autocars (**coaches**) de la compagnie **National Express** vous amèneront à destination rapidement, confortablement et pour un prix relativement modique. Les départs se font à la gare routière (**bus terminal**). A Londres, la **Victoria Coach Station** est le principal point de départ.

Où est la gare routière?	**Where is the coach station?** *ouè: iz DTHeu kau:tch stéicheunn*
A quelle heure est le prochain car pour ...?	**When's the next coach to ...?** *ouènz DTHeu nèkst kautch tou*
De quel arrêt part-il?	**Which bay does it leave from?** *ouitch béi daz it li:v from*
Où sont les arrêts de car?	**Where are the coach bays?** *ouè: a: DTHeu kautch béiz*
Est-ce que le car s'arrête à ...?	**Does the coach stop at ...?** *daz DTHeu kautch stop æt*
Combien de temps dure le voyage?	**How long does the journey take?** *haou lonng daz DTHeu djeu:ni téik*

Bus Bus

Dans les nouveaux bus, l'achat de billets se fait auprès du chauffeur (**driver**), mais dans les autobus londoniens à plateforme arrière, il faut attendre qu'un receveur passe pour vous vendre un billet.

Où est la gare routière?	**Where is the bus terminal?** *ouè: iz DTHeu bass teu:mineul*
Où est-ce que je peux prendre un bus pour ...?	**Where can I get a bus to ...?** *ouè: kæn aï guètt eu bass tou*
A quelle heure part le ... bus pour ...?	**What time is the ... bus to ...?** *ouat taïm iz DTHeu ... bass tou*

You need that stop over there/ down the road.	Il faut aller à cet arrêt là-bas/ un peu plus loin.
You need bus number ...	Vous devez prendre le bus numéro ...
You must change buses at ...	Vous devez changer de bus à ...

BUS STOP	arrêt d'autobus
REQUEST STOP	arrêt facultatif
NO SMOKING	défense de fumer
(EMERGENCY) EXIT	sortie (de secours)

DEMANDER SON CHEMIN ➤ 94; HEURES ➤ 220

Acheter des billets Buying tickets

Où est-ce que je peux acheter des billets?	**Where can I buy tickets?** *ouè: kæn aï baï tikits*
Un billet … pour …, s.v.p.	**A … ticket to …, please.** *eu … tikit tou … pli:z*
aller-simple	**single** *sinngueul*
aller-retour	**return** *riteu:n*
passe-bus	**travel card** *trævél ka:d*
pour la journée/la semaine/le mois	**day/weekly/monthly** *déi/oui:kli/mannTHli*
Combien coûte un ticket pour …?	**How much is the fare to …?** *haou match iz DTHeu fè: tou*

Pour voyager Travelling

Est-ce que c'est bien le bon bus pour …?	**Is this the right bus for …?** *iz DTHis DTHeu raït bass fo:*
Pourriez-vous me dire quand il faut descendre?	**Could you tell me when to get off?** *koud you: tél mi: ouèn tou guètt off*
Je voudrais descendre ici, s.v.p.	**I'd like to get off here, please.** *aïd laïk tou guètt of hieu pli:z*
Est-ce que je dois changer de bus?	**Do I have to change buses?** *dou: aï hæv tou tchéindj bassiz*
Combien d'arrêts est-ce qu'il y a jusqu'à …?	**How many stops are there to …?** *haou mèni stops a: DTHè: tou*
Prochain arrêt, s.v.p.!	**Next stop, please!** *nèkst stop pli:z*

NIGHT BUS Bus de nuit

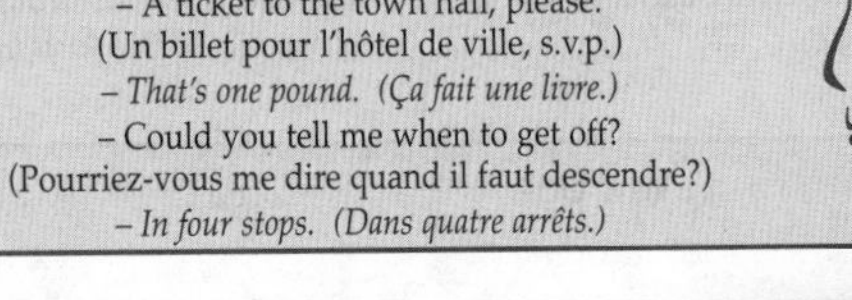

– Excuse me. Is this the right bus for the town hall?
(Pardon. Est-ce que c'est bien le bon bus pour l'hôtel de ville?)
– Yes, number 58. (Oui, le numéro 58.)
– A ticket to the town hall, please.
(Un billet pour l'hôtel de ville, s.v.p.)
– That's one pound. (Ça fait une livre.)
– Could you tell me when to get off?
(Pourriez-vous me dire quand il faut descendre?)
– In four stops. (Dans quatre arrêts.)

ACHETER DES BILLETS ➤ 74

Métro Underground/Tube

Le métro de Londres (**London underground** ou **tube**) permet de se déplacer rapidement dans la capitale à peu de frais. Les billets s'achètent auprès des distributeurs automatiques ou auprès d'un employé de la station. Gardez bien votre ticket sur vous, car il vous sera réclamé à la sortie et vérifiez bien sur les quais la direction des trains (indiquée sur le panneau lumineux). Les rames circulent de 5h30 à minuit.

Questions générales General Inquiries

Où est la station de métro la plus proche?
Where's the nearest tube station?
ouè:z DTHeu nieurist tyou:b stéicheunn

Où est-ce que je peux acheter un ticket?
Where do I buy a ticket?
ouè: dou: aï baï eu tikit

Est-ce que je pourrais avoir un plan du métro?
Could I have a map of the underground? *koud aï hæv eu mæp ov DTHi anndeurgraound*

En voyage Travelling

Quelle ligne dois-je prendre pour ...?
Which line should I take for ...?
ouitch laïn choud aï téik fo:

Est-ce que c'est bien la bonne rame pour ...?
Is this the right train for ...?
iz DTHis DTHeu raït tréinn fo:

C'est quelle station pour ...?
Which stop is it for ...?
ouitch stop iz it fo:

Combien de stations est-ce qu'il y a jusqu'à ...?
How many stops is it to ...?
haou mèni stops iz it tou

Est-ce que la prochaine station est bien ...?
Is the next stop ...?
iz DTHeu nèkst stop

Où sommes-nous?
Where are we? *ouè: a: oui:*

Où est-ce que je dois changer pour ...?
Where do I change for ...?
ouè: dou: aï tchéindj fo:

A quelle heure est la dernière rame pour ...?
What time is the last train to ...?
ouat taïm iz DTHeu la:st tréinn tou

WAY OUT sortie

CHIFFRES ➤ 216; ACHETER DES BILLETS ➤ 79, 74

Bateau/Ferry Boat/Ferry

Les compagnies suivantes desservent la Grande-Bretagne depuis la France ou la Belgique: Stena Sealink, Hoverspeed, Brittany Ferries, P&0 European Ferries, Sally Ferries, North Sea Ferries. L'Emeraude Lines et la compagnie Condor assurent des liaisons entre l'ouest de la France et les îles Anglo-Normandes.

A quelle heure est le … car-ferry pour Calais?	**When is the … car ferry to Calais?** *ouèn iz DTHeu … ka: fèri tou «Calais»*
premier/prochain/dernier	**first/next/last** *feu:st/nèkst/la:st*
l'hovercraft/le bateau	**hovercraft/ship** *hoveukra:ft/chip*
Un billet aller et retour pour …	**A return ticket for …** *eu riteu:n tikit fo:*
une voiture et une caravane	**one car and one caravan** *ouann ka: ænd ouann kæreuvæn*
2 adultes et 3 enfants	**two adults and three children** *tou: ædalts ænd THri: tchildreunn*
Je voudrais réserver une cabine …	**I want to reserve a … cabin.** *aï ouonnt tou rizeu:v eu … kæbinn*
pour une/deux personne(s)	**single/double** *sinngueul/dabeul*

NO ACCESS TO CAR DECKS	accès aux garages interdit
LIFE BOAT	canot de sauvetage
LIFE BELTS	gilets de sauvetage
MUSTER STATION	point de rassemblement

Voyages en bateau Boat trips

A Londres, on peut faire une petite promenade en vedette sur la Tamise. On peut aussi découvrir le pays depuis ses canaux en louant des péniches entièrement équipées.

Est-ce qu'il y a un/une …?	**Is there a …?** *iz DTHè: eu*
voyage en bateau	**boat trip** *bauout trip*
croisière sur la rivière	**river cruise** *riveu krou:z*
A quelle heure part/revient le bateau?	**What time does the boat leave/return?** *ouat taïm daz DTHeu bauout li:v/riteu:n*
Où pouvons-nous acheter des billets?	**Where can we buy tickets?** *ouè: kæn oui: baï tikits*

CHIFFRES ➤ 216; HEURES ➤ 220

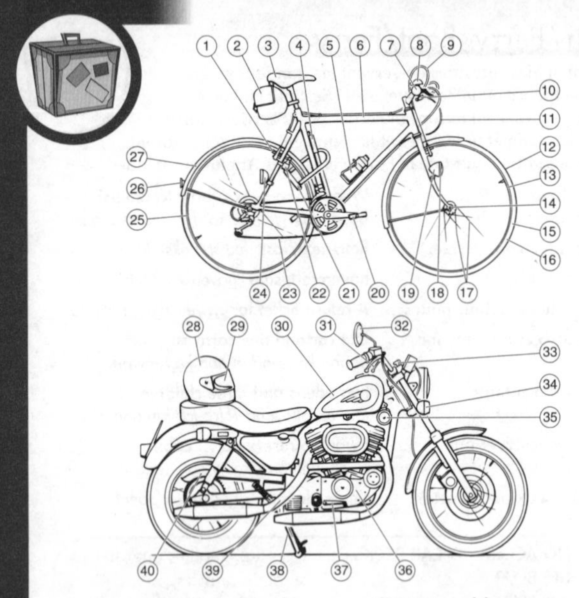

1 plaquette de frein **brake pad**
2 sacoche de bicyclette **bicycle bag**
3 selle **saddle**
4 pompe **pump**
5 bidon d'eau **water bottle**
6 cadre **frame**
7 guidon **handlebars**
8 sonnette **bell**
9 câble de frein **brake cable**
10 levier de changement de vitesse **gear lever**
11 câble de changement de vitesse **gear cable**
12 chambre à air **inner tube**
13 roue avant/arrière **front/back wheel**
14 essieu **axle**
15 pneu **tyre**
16 roue **wheel**
17 rayons **spokes**
18 ampoule **bulb**
19 phare **headlamp**
20 pédale **pedal**
21 antivol **lock**
22 dynamo **generator**
23 chaîne **chain**
24 feu arrière **rear light**
25 jante **rim**
26 réflecteurs **reflectors**
27 garde-boue **mudguard**
28 casque **helmet**
29 visière **visor**
30 réservoir **fuel tank**
31 embrayage **clutch lever**
32 rétroviseur **mirror**
33 contact **ignition switch**
34 clignotant **indicator**
35 klaxon **horn**
36 moteur **engine**
37 levier de vitesse **gear stick**
38 béquille **kick stand**
39 pot d'échappement **exhaust pipe**
40 couvre-chaîne **chain guard**

REPARATIONS VOITURES➤ 89

Bicyclette/moto Bicycle/Motorbike

La plupart des marchands de deux-roues louent aussi des vélos. Pour connaître l'adresse du magasin le plus proche de votre lieu de résidence, consultez les pages jaunes (**Yellow Pages**) à la rubrique **Cycle Shops**. La location de cyclomoteurs et de motos est beaucoup plus rare.

Je voudrais louer un/une ...	**I'd like to rent a ...** *aïd laïk tou rènt eu*
vélo à 3/10 vitesses	**three-/ten-gear bicycle** *THri:-/tèn-guieu baïsikeul*
mobylette	**moped** *maupèd*
moto	**motorbike** *mauteubaïk*
Ça coûte combien par jour/semaine?	**How much does it cost per day/week?** *haou match daz it kost peu: déi/oui:k*
Est-ce qu'il faut verser des arrhes?	**Do you require a deposit?** *dou: you: rikouaïeu eu dipozit*
Les freins ne marchent pas.	**The brakes don't work.** *DTHeu bréiks daunt oueu:k*
Il n'y a pas de feux.	**There are no lights.** *DTHè: a: nau laïts*
Le pneu avant/arrière est crevé.	**The front/rear tyre has a puncture.** *DTHeu frannt/rieu taïeu hæz eu panngktcheu*

Auto-stop Hitchhiking

L'auto-stop est autorisé en Angleterre (sauf au bord des autoroutes), mais il est beaucoup moins pratiqué que sur le continent. Pour accroître vos chances, indiquez clairement votre lieu de destination.

Où allez-vous?	**Where are you heading?** *oué: a: you: hèdinng*
Je vais vers ...	**I'm heading for ...** *aïm hèdinng fo:*
Est-ce que c'est sur la route de ...?	**Is that on the way to ...?** *iz DTHæt onn DTHeu ouéi tou*
Est-ce que vous pourriez me déposer ...?	**Could you drop me off ...?** *koud you: drop mi: off*
ici/à ...	**here/at ...** *hieu/æt*
à la sortie ...	**at the ... exit** *æt DTHeu ... èksit*
dans le centre	**in the centre** *inn DTHeu sènteu*
Merci de m'avoir emmené.	**Thanks for giving me a lift.** *THænks fo: guivinng mi: eu lift*

DEMANDER SON CHEMIN ➤ 94; CHIFFRES ➤ 216

Taxi Taxi

On peut héler un taxi dans la rue, le prendre à une station ou en réserver un par téléphone. A Londres, les taxis réguliers sont les taxis noirs (**black cabs**), qui ont un petit signal lumineux portant l'inscription **for hire** quand ils sont libres. Les **mini-cabs** sont des voitures de type courant. Lorsque les taxis ne sont pas équipés d'un compteur, le tarif est déterminé en fonction d'un barême officiel. Un pourboire de 10 à 15% est d'usage.

Où est-ce que je peux trouver un taxi?	**Where can I get a taxi?** *ouè: kæn aï guètt eu tæksi*
Je voudrais un taxi …	**I'd like a taxi …** *aïd laïk eu tæksi*
maintenant	**now** *naou*
dans une heure	**in an hour** *inn eunn aoueu*
demain à 9 heures	**tomorrow at nine o'clock** *teumorau æt naïn eu klok*
L'adresse est … Je vais à …	**The address is … I'm going to …** *DTHeu eudrèss iz … aïm gau:inng tou*

FOR HIRE	libre

Emmenez-moi à …, s.v.p.	**Please take me to …** *pli:z téik mi: tou*
l'aéroport	**the airport** *DTHi èeupo:t*
la gare	**the rail station** *DTHeu réil stéicheunn*
cette adresse	**this address** *DTHis eudrèss*
Combien est-ce que ça coûtera?	**How much will it cost?** *haou match ouil it kost*
C'est combien?	**How much is that?** *haou match iz DTHæt*
Vous m'aviez dit … livres.	**You said … pounds.** *you: sèd … paoundz*
Le compteur indique …	**On the meter it's …** *onn DTHeu mi:teu its*
Gardez la monnaie.	**Keep the change.** *ki:p DTHeu tchéindj*

– Please take me to the station. (Emmenez-moi à la gare, s.v.p.)
– Certainly. (Bien sûr.)
– How much will it cost? (Combien est-ce que ça coûtera?)
– Six pounds, fifty … (Six livres cinquante …) Here you are. (Voilà.)
– Thank you. Keep the change. (Merci. Gardez la monnaie.)

CHIFFRES ➤ 216; DIRECTIONS ➤ 94

Voiture Car

Si vous avez décidé de visiter la Grande-Bretagne en voiture, vous devrez être en possession d'un permis de conduire (**driving license**) valable (national ou international), de la carte grise du véhicule (**vehicle registration**) et d'une attestation d'assurance (**insurance documents**). Un autocollant indiquant votre pays d'origine est obligatoire.

La conduite se fait à gauche et l'on double sur la droite. La prudence est de mise aux ronds-points (**roundabouts**) où la priorité appartient au trafic venant de droite. Prudence également sur les routes à plusieurs voies car chaque voie peut être contrôlée par un feu différent (feu rouge pour aller à gauche, feu vert pour aller tout droit). Les piétons ont toujours la priorité sur les passages protégés. Le port de la ceinture (**seat-belt**) est obligatoire à l'avant, et à l'arrière lorsque le véhicule en est équipé.

L'âge légal pour conduire est de 18 ans, mais pour louer une voiture, vous devrez être âgé de 21 à 25 ans selon les compagnies de location.

Une certaine politesse est de mise au volant – la coutume veut que l'on remercie d'un geste de la main le conducteur qui vous laisse passer. En Angleterre, on boit ou on conduit. Les conducteurs arrêtés en état d'ivresse risquent de lourdes amendes, voire le retrait du permis.

Table de conversion

km	1	10	20	30	40	50	60	70	80	90	100	110	120	130
miles	0.62	6	12	19	25	31	37	44	50	56	62	68	75	81

Réseau routier

Le réseau routier anglais, tout comme la signalisation, est excellent et il n'y a pas de péages.

M (**motorway**) – autoroute (signalisation sur fond bleu)

A road – route principale (signalisation sur fond vert)

B road – route secondaire (signalisation sur fond blanc)

Ring road – boulevard circulaire périphérique

Limitations de vitesse

Sauf indication contraire, la vitesse est limitée à 30 mph (48 km/h) en agglomération urbaine, 60 mph (97 km/h) sur route et 70 mph (113 km/h) sur les routes à quatre voies (**dual carriageways**) et autoroutes.

Location de voitures Car hire

Vous devrez présenter un permis de conduire (obtenu depuis plus d'un an) et votre passeport. L'âge minimum varie de 21 ans à 25 ans selon les bureaux de location.

Il est préférable d'avoir sur soi une carte de crédit pour éviter de devoir payer de grosses sommes en liquide.

Où est-ce que je peux louer une voiture?	**Where can I hire a car?** *ouè: kæn aï haïeu eu ka:*
Je voudrais louer une ...	**I'd like to hire ...** *aïd laïk tou haïeu*
voiture 2 portes/4 portes	**a two-/four-door car** *eu tou:-/fo: do: ka:*
voiture automatique	**an automatic** *eunn o:teumætik*
voiture avec climatisation	**a car with air conditioning** *eu ka: ouiDTH èeu keunndicheuninng*
Je la voudrais pour un jour/ une semaine.	**I'd like it for a day/a week.** *aïd laïk it fo: eu déi/eu oui:k*
Quel est le tarif par jour/ semaine?	**How much does it cost per day/week?** *haou match daz it kost peu: déi/oui:k*
Est-ce-que le kilométrage/ l'assurance est compris(e)?	**Is mileage/insurance included?** *iz maïlidj/innchoureunns innklou:did*
Y a-t-il des tarifs spéciaux pour le week-end?	**Are there special weekend rates?** *a: DTHè: spècheul oui:kènnd réits*
Est-ce que je peux ramener la voiture à ...?	**Can I return the car at ...?** *kæn aï riteu:n DTHeu ka: æt*
Qu'est-ce qu'il faut mettre comme carburant?	**What sort of fuel does it take?** *ouat so:t ov fyou:eul daz it téik*
Où sont les phares/les codes?	**Where is full/dipped beam?** *ouè: iz foul/dipt bi:m*
Est-ce que je peux prendre une assurance tous risques?	**Could I have full insurance?** *koud aï hæv foul innchoureunns*

May I see your driving license?	Pouvez-vous me montrer votre permis de conduire, s.v.p.?
Who will be driving?	Qui va prendre le volant?
Please return the car by ... on ...	Veuillez ramener la voiture avant ... h ...

JOURS DE LA SEMAINE ➤ 218; PAIEMENT ➤ 42, 89

Station-service Petrol station

Où est la station-service la plus proche?	**Where's the next petrol station?** *ouè:z DTHeu nèkst pètreul stéicheunn*
Est-ce que c'est un libre-service?	**Is it self-service?** *iz it sèlf-seu:viss*
Le plein, s.v.p.	**Fill it up, please.** *fil it ap pli:z*
… litres d'essence, s.v.p.	**… litres of petrol, please.** *li:teuz ov pètreul pli:z*
super/ordinaire	**super/regular** *sou:peu/règyouleu*
sans plomb/diesel	**unleaded/diesel** *eunlèdid/di:zeul*
Je suis à la pompe numéro …	**I'm pump number …** *aïm pamp nammbeu*
Où est le compresseur pour l'air/l'eau?	**Where's the air pump/water?** *ouè:z DTHeu èeu pamp/ouo:teu*

PRICE PER LITRE prix au litre

Stationnement Parking

C'est toujours un casse-tête dans les grandes villes. Le plus simple est de se garer dans les parkings à étages ou l'on paie soit à l'arrivée, soit au départ. Dans les plus petites villes, des aires gratuites de parking sont souvent aménagées près du centre. Autrement, faites bien attention au marquage au sol: ne vous garez jamais sur les lignes zébrées indiquant un passage pour piéton, sur une double ligne jaune le long d'un trottoir (interdit de s'arrêter), et – durant les heures de bureau – sur une simple ligne jaune (stationnement toléré la nuit et le dimanche). Evitez aussi de vous garer aux endroits marqués **Permit holder only** ou **Residents** (seuls les détenteurs de permis spéciaux ou les résidents ont le droit de s'y garer).

Est-ce qu'il y a un parking près d'ici?	**Is there a car park nearby?** *iz DTHè: eu ka: pa:k nieubaï*
Quel est le tarif par heure/jour?	**What's the charge per hour/per day?** *ouats DTHeu tcha:dj peu: aoueu/peu: déi*
Avez-vous de la monnaie pour le parcmètre?	**Have you got some change for the parking metre?** *hæv you: got sam tchéindj fo: DTHeu pa:kinng mi:teu*
On a mis un sabot de Denver à ma voiture. A qui dois-je téléphoner?	**My car has been clamped. Who do I call?** *maï ka: hæz bi:n klæmpt. hou: dou: aï ko:l*

CHIFFRES ➤ 216; DEMANDER SON CHEMIN ➤ 94

Pannes Breakdown

En cas de panne, reportez-vous aux documents fournis par votre compagnie d'assurances ou contactez le garage ou concessionnaire le plus proche. Le secours routier en Grande-Bretagne est assuré par deux automobiles-clubs: le **Royal Automobile Club** (RAC) et l'**Automobile Association** (AA).

Où se trouve le garage le plus proche?	**Where's the nearest garage?** *ouè:z DTHeu nieurist gæra:j*
Ma voiture est tombée en panne.	**I've had a breakdown.** *aïv hæd eu bréikdaoun*
Pouvez-vous m'envoyer un mécanicien/une dépanneuse?	**Can you send a mechanic/breakdown truck?** *kæn you: sènd eu mikænik/ bréikdaoun trak*
Je suis membre du service d'assistance routière …	**I belong to … recovery service.** *aï bilonng tou … rikaveuri seu:viss*
Mon numéro d'immatriculation est …	**My registration number is …** *maï rèdjistréicheunn nammbeu iz*
La voiture est …	**The car is …** *DTHeu ka: iz*
sur l'autoroute	**on the motorway** *onn DTHeu mauteuouéi*
à 2 km de …	**two kilometres from …** *tou: kileumi:teuz from*
Combien de temps allez-vous mettre?	**How long will you be?** *haou lonng ouil you: bi:*

Qu'est-ce qui ne va pas? What's wrong?

Ma voiture ne veut pas démarrer.	**My car won't start.** *maï ka: ouaunnt sta:t*
La batterie est à plat.	**The battery is dead.** *DTHeu bæteuri iz dèd*
Je suis en panne d'essence.	**I've run out of petrol.** *aïv rann aout eu pètreul*
J'ai une crevaison.	**I've got a puncture.** *aïv got eu panngktcheu*
J'ai un problème avec …	**There's something wrong with …** *DTHè:z samTHinng ronng ouiDTH*
J'ai enfermé(e) mes clés dans la voiture.	**I've locked the keys in the car.** *aïv lokt DTHeu ki:z inn DTHeu ka:*

TELEPHONER ➤ 127; PARTIES DE VOITURE ➤ 90–91

Réparations Repairs

Faites-vous des réparations?	**Do you do repairs?** *dou: you dou: ripè:z*
Est-ce que vous pouvez faire une réparation (temporaire)?	**Can you repair it (temporarily)?** *kæn you: ripè: it (tèmpeurili)*
Faites seulement les réparations essentielles.	**Please make only essential repairs.** *pli:z méik aunli issèncheul ripè:z*
Est-ce que je peux attendre?	**Can I wait for it?** *kæn aï ouéit fo: it*
Est-ce que vous pouvez la réparer aujourd'hui?	**Can you repair it today?** *kæn you: ripè: it teudéi*
Quand est-ce qu'elle sera prête?	**When will it be ready?** *ouèn ouil it bi: rèdi*
Ça coûtera combien?	**How much will it cost?** *haou match ouil it kost*
C'est du vol!	**That's outrageous!** *DTHæts aoutréidjeuss*
Est-ce que je peux avoir un reçu pour l'assurance?	**Can I have a receipt for the insurance?** *kæn aï hæv eu risi:t fo: DTHe innchoureunns*

The ... isn't working.	Le/La ... ne marche pas.
I haven't got the necessary parts.	Je n'ai pas les pièces nécessaires.
I'll have to order the parts.	Il faut que je commande les pièces.
I can only repair it temporarily.	Je ne peux faire qu'une réparation temporaire.
Your car is a write-off.	Ça ne vaut pas la peine de la faire réparer.
It can't be repaired.	On ne peut pas la réparer.
It will be ready ...	Elle sera prête ...
later today	dans la journée
tomorrow	demain
in ... days	dans ... jours

HEURES ➤ 220; CHIFFRES ➤ 216

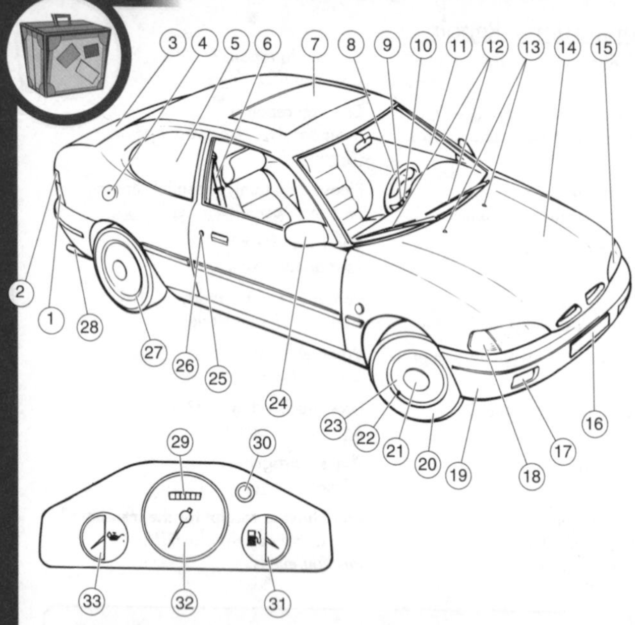

1 feux arrière **back lights**
2 feux rouges (des freins) **brake lights**
3 coffre **boot**
4 bouchon de réservoir (d'essence) **petrol cap**
5 vitre **window**
6 ceinture de sécurité **seat belt**
7 toit ouvrant **sunroof**
8 volant **steering wheel**
9 contact **ignition**
10 clé de contact **ignition key**
11 pare-brise **windscreen**
12 essuie-glaces **windscreen wipers**
13 jet lave-glace **windscreen washer**
14 capot **bonnet**
15 phares **headlights**
16 plaque d'immatriculation **license plate**
17 feu de brouillard **fog lamp**
18 clignotants **indicators**
19 pare-choc **bumper**
20 pneus **tyres**
21 enjoliveur **wheel cover**
22 valve **valve**
23 roues **wheels**
24 rétroviseur extérieur **wing mirror**
25 fermeture centrale **central locking**
26 serrure **lock**
27 jante **wheel rim**
28 pot d'échappement **exhaust pipe**
29 compteur kilomètrique **milometre**
30 feu de détresse **warning light**

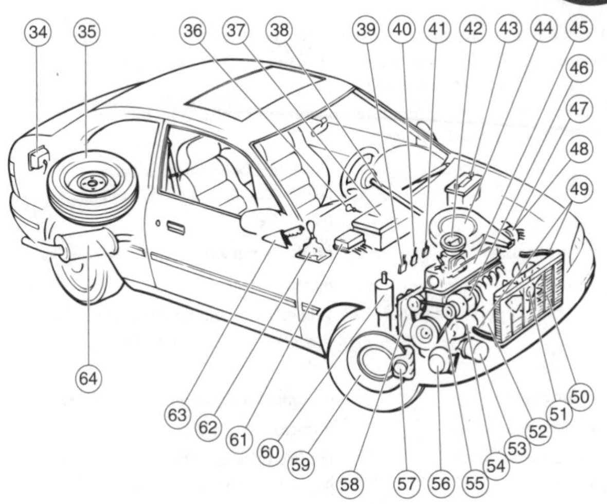

31 jauge de carburant **fuel gauge**
32 compteur de vitesse **speedometre**
33 jauge à huile **oil gauge**
34 feux de recul **reversing lights**
35 roue de secours **spare wheel**
36 starter **choke**
37 radiateur **heater**
38 colonne de direction **steering column**
39 accélérateur **accelerator**
40 pédale **pedal**
41 embrayage **clutch**
42 carburateur **carburettor**
43 batterie **battery**
44 alternateur **alternator**
45 arbre à cames **camshaft**
46 filtre à air **air filter**
47 distributeur **distributor**
48 vis platinées **points**
49 durite **radiator hose**
50 radiateur **radiator**
51 ventilateur **fan**
52 moteur **engine**
53 filtre à huile **oil filter**
54 démarreur **starter motor**
55 courroie de ventilateur **fan belt**
56 klaxon **horn**
57 plaquettes de freins **brake pads**
58 boîte de vitesses **gearbox**
59 freins **brakes**
60 amortisseurs **shock absorbers**
61 fusibles **fuses**
62 levier de vitesses **gear lever**
63 frein à main **handbrake**
64 silencieux **silencer**

REPARATIONS ➤ 89

Accidents Accidents

Dans l'éventualité d'un accident:

1. prévenez la police (obligatoire s'il y a des blessés);
2. donnez votre nom, adresse et compagnie d'assurances au conducteur du véhicule;
3. prévenez votre compagnie d'assurances et celle de l'autre véhicule;
4. ne faites aucune déclaration écrite sans l'avis d'un avocat ou représentant d'un automobile-club;
5. notez toutes les informations concernant l'autre véhicule, les éventuels témoins et l'accident.

Il y a eu un accident. — **There has been an accident.** *DTHè: hæz bi:n eunn æksideunnt*

Il est … — **It's …** *its*

sur l'autoroute — **on the motorway** *onn DTHeu mauteuouéi*

près de … — **near …** *nieu*

Où est le téléphone le plus proche? — **Where's the nearest telephone?** *ouè:z DTHeu nieurist tèlifaun*

Téléphonez à … — **Call …** *ko:l*

une ambulance — **an ambulance** *eunn æmbyouleunns*

un docteur — **a doctor** *eu dokteu*

les pompiers — **the fire brigade** *DTHeu faïeu briguéid*

la police — **the police** *DTHeu peuli:ss*

Pouvez-vous m'aider, s.v.p.? — **Can you help me, please?** *kæn you: hèlp mi: pli:z*

Blessures Injuries

Il y a des blessés. — **There are people injured.** *DTHè: a: pi:peul inndjeud*

Personne n'est blessé. — **No one is hurt.** *nau ouann iz heu:t*

Il est grièvement blessé. — **He's seriously injured.** *hi:z sieurieussli inndjeud*

Elle a perdu connaissance. — **She's unconscious.** *chi:z annkonncheuss*

Il ne peut pas respirer/bouger. — **He can't breathe/move.** *hi: ka:nt bri:DTH/mou:v*

Ne le déplacez pas. — **Don't move him.** *daunt mou:v himm*

MEDECIN ➤ 163

Questions de droit Legal matters

Quelle est votre compagnie d'assurance?	**What's your insurance company?** *ouats yo: innchoureunns kammpeuni*
Quels sont vos nom et adresse?	**What's your name and address?** *ouats yo: néim ænd eudrèss*
Il m'est rentré dedans.	**He ran into me.** *hi: ræn inntou mi:*
Elle conduisait trop vite/ trop près.	**She was driving too fast/too close.** *chi: ouaz draïvinng tou: fa:st/tou: klaus*
J'avais la priorité.	**I had the right of way.** *aï hæd DTHeu raït eu ouéi*
Je ne faisais que … kilomètres à l'heure.	**I was only driving at … kilometres per hour.** *aï ouaz aunli draïvinng æt … kilomi:teuze peu: aoueu*
Je voudrais un interprète.	**I'd like an interpreter.** *aïd laïk eunn innteu:priteu*
Je n'ai pas vu le panneau.	**I didn't see the sign.** *aï dideunnt si: DTHeu saïn*
Il/Elle a vu ce qui s'est passé.	**He/She saw it happen.** *hi:/chi: so: it hæpeunn*
Le numéro d'immatriculation était …	**The registration number was …** *DTHeu rèdjistréicheunn nammbeu ouaz*

Can I see your …	Est-ce que je peux voir votre …
driving license	permis de conduire
insurance certificate	certificat d'assurance
vehicle registration document	carte grise/document d'immatriculation du véhicule
What time did it happen?	A quelle heure est-ce que ça s'est passé?
Where did it happen?	Où est-ce que ça s'est passé?
Are there any witnesses?	Est-ce qu'il y a des témoins?
You were speeding.	Vous alliez trop vite.
Your lights aren't working.	Vos feux ne marchent pas.
You'll have to pay a fine (on the spot).	Vous devez payer une amende (sur-le-champ).
We need you to make a statement at the police station.	Vous devez venir au poste de police pour faire une déposition.

POLICE ➤ 161; HEURES ➤ 220

Demander son chemin
Asking directions

Excusez-moi, s.v.p.	**Excuse me, please.**	*ikskyou:z mi: pli:z*
Pour aller à ...?	**How do I get to ...?**	*haou dou: ai guètt tou*
Où est ...?	**Where is ...?**	*ouè: iz*
Est-ce que vous pouvez me montrer où je suis sur la carte?	**Can you show me on the map where I am?**	*kæn you: chau mi: onn DTHeu mæp ouè: aï æm*
Je me suis perdu(e).	**I've lost my way.**	*aïv lost maï ouéi*
Est-ce que vous pouvez répéter?	**Can you repeat that?**	*kæn you: ripi:t DTHæt*
Plus lentement, s.v.p.	**More slowly, please.**	*mo: slauli pli:z*
Merci pour votre aide.	**Thanks for your help.**	*THænks fo: yo: hèlp*

Voyage en voiture Travelling by car

Est-ce que c'est bien la bonne route pour ...?	**Is this the right road for ...?**	*iz DTHis DTHeu raït raud fo:*
... est à combien de kilomètres d'ici?	**How many kilometres is it to ... from here?**	*haou mèni kilomi:teuz iz it tou ... from hieu*
Où mène cette route?	**Where does this road lead?**	*ouè: daz DTHis raud li:d*
Comment est-ce que je peux accéder à l'autoroute?	**How do I get onto the motorway?**	*haou dou: aï guètt onntou DTHeu mauteuouéi*
Comment s'appelle la prochaine ville?	**What's the next town called?**	*ouats DTHeu nèkst taoun ko:ld*
Il faut combien de temps en voiture?	**How long does it take by car?**	*haou lonng daz it téik baï ka:*

– Excuse me. How do I get to the station?
(Pardon, pour aller à la gare, s.v.p.?)
– Take the third turning on the right and then straight on.
(Prenez la troisième rue à droite et ensuite c'est tout droit.)
– The third road on the right. Is it far?
(La troisième rue à droite. C'est loin?)
– It's about two miles.
(C'est à environ 2 miles.)
– Thank you for your help. (Merci pour votre aide.)
– You're welcome. (Il n'y a pas de quoi.)

PROBLEMES DE COMMUNICATION ➤ 11

Emplacement/situation Location

It's ...	C'est ...
straight ahead	tout droit
on the left	à gauche
on the right	à droite
on the other side of the street	de l'autre côté de la rue
on the corner	au coin
around the corner	après/derrière le coin
in the direction of ...	en direction de ...
opposite .../behind ...	en face de .../derrière ...
next to .../after ...	à côté de .../après ...
Go down the ...	Descendez la ...
side street/main road	rue transversale/rue principale
Cross the ...	Traversez la/le ...
square/bridge	place/pont
Take the third turning on the right.	Prenez la troisième rue à droite.
Turn left ...	Tournez à gauche ...
after the first traffic lights	après les premiers feux (rouges)
at the second crossroad	au deuxième carrefour

En voiture By car

It's ... of here.	C'est ... d'ici.
north/south	au nord/au sud
east/west	à l'est/à l'ouest
Take the road for ...	Prenez la route de ...
You're on the wrong road.	Vous êtes sur la mauvaise route.
You'll have to go back to ...	Vous devez retourner à ...
Follow the signs for ...	Suivez les panneaux vers ...

C'est loin? How far?

It's ...	C'est ...
close/a long way	près d'ici/loin
five minutes on foot	à 5 minutes à pied
ten minutes by car	à 10 minutes en voiture
about ten miles away	à environ 10 miles (16 km)

HEURES ➤ 220; CHIFFRES ➤ 216

Panneaux Road signs

USE HEADLIGHTS	allumez vos phares
ALTERNATIVE ROUTE	itinéraire bis
GIVE WAY	cédez le passage
DIVERSION	déviation
SCHOOL	école
LOW BRIDGE	hauteur limitée
GET IN LANE	prenez la bonne file
ROAD CLOSED	route barrée
ACCESS ONLY	sauf riverains
ONE-WAY STREET	sens unique

Plans de villes Town plans

airport	*èpo:t*	aéroport
bus route	*bass rou:t*	itinéraire des bus
bus stop	*bass stop*	arrêt d'autobus
car park	*ka: pa:k*	parking
cinema	*sineumeu*	cinéma
church	*tcheu:tch*	église
high street	*haï stri:t*	rue principale
information office	*innfeuméicheunn ofiss*	office du tourisme
old town	*auld taoun*	vieille ville
park	*pa:k*	parc
pedestrian crossing	*pidèstrieunn krossinng*	passage piétons
pedestrian precinct	*pidèstrieunn pri:sinngkt*	zone piétonnière
sports ground	*spo:ts graound*	terrain de sports
police station	*peuli:ss stéicheunn*	commissariat
post office	*paust ofiss*	(bureau de) poste
public building	*pablik bildinng*	bâtiment public
stadium	*stéidieum*	stade
station	*stéicheunn*	gare
underground station	*anndeugraound stéicheunn*	station de métro
underpass	*anndeupa:ss*	passage souterrain
taxi rank	*tæksi rængk*	station de taxi
theatre	*THieuteu*	théâtre
you are here	*you: a: hieu*	vous êtes ici

LEXIQUE ➤ 169; VISITES TOURISTIQUES ➤ 97–107

Visites Touristiques

Office du tourisme Tourist information

On trouve des bureaux d'information touristique au centre de la majorité des villes. On les repère grâce aux panneaux «**i**».

Où est l'office du tourisme? — **Where's the tourist office?** *ouè:z DTHeu tourist ofiss*

Qu'est-ce qu'il y a d'intéressant à voir? — **What are the main points of interest?** *ouat a: DTHeu méin poïnts ov inntrist*

Nous restons … — **We're here for …** *oui:eu hieu fo:*

seulement quelques heures — **only a few hours** *aunli eu fyou: aoueuz*

une journée — **a day** *eu déi*

une semaine — **a week** *eu oui:k*

Pouvez-vous me/nous recommander …? — **Can you recommend …?** *kæn you: rèkeumènd*

une visite touristique — **a sightseeing tour** *eu saïtsi:inng toueu*

une excursion — **an excursion** *eunn ikskeu:cheunn*

une promenade en bateau — **a boat trip** *eu baut trip*

Avez-vous des renseignements sur …? — **Have you got any information on …?** *hæv you: got èni innfeuméicheunn onn*

Y a-t-il des voyages à …? — **Are there any trips to …?** *a: DTHè: èni trips tou*

JOURS DE LA SEMAINE ➤ 218

Excursion Excursions

Combien coûte cette excursion?	**How much does the tour cost?** *haou match daz DTHeu toueu kost*
Le déjeuner est-il compris?	**Is lunch included?** *iz lanntch innklou:did*
D'où partons-nous?	**Where do we leave from?** *ouè: dou: oui: li:v from*
A quelle heure commence l'excursion?	**What time does the tour start?** *ouat taïm daz DTHeu toueu sta:t*
A quelle heure revenons-nous?	**What time do we get back?** *ouat taïm dou: oui: guètt bæk*
Est-ce que nous aurons du temps libre à …?	**Do we have free time in …?** *dou: oui: hæv fri: taïm inn*
Y a-t-il un guide qui parle français?	**Is there a French-speaking guide?** *is DTHè: eu frèntch spi:kinng gaïd*

En excursion On tour

Est-ce que nous allons voir …?	**Are we going to see …?** *a: oui: gau:inng tou si:*
Nous aimerions voir …	**We'd like to have a look at …** *oui:d laïk tou hæv eu louk æt*
Est-ce que nous pouvons nous arrêter ici …?	**Can we stop here …?** *kæn oui: stop hieu*
pour prendre des photos	**to take photographs** *tou téik fauteugræfs*
pour acheter des souvenirs	**to buy souvenirs** *tou baï sou:veunieuz*
pour aller aux toilettes	**for the toilets** *fo: DTHeu toïlits*
Pourriez-vous nous prendre en photo, s.v.p.?	**Would you take a photo of us, please?** *woud you: téik eu fautau euv ass pli:z*
Combien de temps avons-nous ici/à …?	**How long do we have here/in …?** *haou lonng dou: oui: hæv hieu/inn*
Attendez! … n'est pas encore là!	**Wait! … isn't back yet.** *ouéit! … izannt bæk yèt*

Attractions touristiques Sights

Les plans des villes sont généralement affichés dans les rues et aux places principales, ainsi que dans les bureaux d'information touristique.

Où est le/la/l'/les ...?	**Where's the ...?** *ouè:z DTHeu ...*
abbaye	**abbey** *æbi*
belvédère	**viewpoint** *vyou:poïnt*
cathédrale	**cathedral** *keuTHi:dreul*
centre-ville	**centre of town** *cènteur of taoun*
champ de bataille	**battle site** *bæteul saït*
château	**castle** *ka:seul*
cimetière	**cemetery** *sèmitri*
église	**church** *tcheu:tch*
fontaine	**fountain** *faountinn*
galerie de peinture	**art gallery** *a:t gæleuri*
hôtel de ville	**town hall** *taoun ho:l*
jardin botanique	**botanical garden** *beutænikeul ga:deunn*
marché	**market** *ma:kit*
monastère	**monastery** *moneustri*
monument (aux morts)	**(war) memorial** *(ouo:) mimo:rieul*
musée	**museum** *myou:zieum*
opéra	**opera house** *opeura haouss*
palais	**palace** *pæliss*
parc	**park** *pa:k*
parlement	**parliament building** *pa:leumeunnt bildinng*
rues commerçantes	**shopping area** *chopinng èria*
ruines	**ruins** *rou:innz*
statue	**statue** *stætyou:*
théâtre	**theatre** *THieuteu*
tour	**tower** *taoueu*
vieille ville	**old town** *auld taoun*
Pouvez-vous me montrer sur la carte?	**Can you show me on the map?** *kæn you: chau mi: onn DTHeu mæp*

DEMANDER SON CHEMIN ➤ 94

Entrée Admission

Les musées ouvrent généralement moins longtemps le dimanche. Ils risquent aussi d'être fermés du 24 au 26 décembre, le 1er janvier et le Vendredi saint.

Est-ce que … est ouvert(e) au public?	**Is … open to the public?** *iz … aupeunn tou DTHeu pablik*
Est-ce que nous pouvons regarder?	**Can we look around?** *kæn oui: louk euraound*
Quelles sont les heures d'ouverture?	**What are the opening hours?** *ouat a: DTHeu aupeunninng aoueuz*
A quelle heure ferme-t-il?	**When does it close?** *ouèn daz it klauz*
Est-ce que … est ouvert(e) le dimanche?	**Is … open on Sundays?** *iz … aupeunn onn sanndiz*
A quelle heure est la prochaine visite guidée?	**When's the next guided tour?** *ouènz DTHeu nèkst gaïdid toueu*
Avez-vous un guide (en français)?	**Have you got a guide book (in French)?** *hæv you: gotte eu gaïd bouk (inn frèntch)*
Est-ce que je peux prendre des photos?	**Can I take photos?** *kæn aï téik fautauz*
Est-ce accessible aux handicapés?	**Is there access for the disabled?** *iz DTHè: æksèss fo: DTHeu diséibeuld*
Y a-t-il un guide audio en français?	**Is there an audio guide in French?** *iz DTHè: eunn o:diau gaïd inn frèntch*

Paiement/Billets Paying/Tickets

Combien coûte l'entrée?	**How much is the entrance fee?** *haou match iz DTHeu èntreunns fi:*
Y a-t-il des réductions pour les …?	**Are there any discounts for …?** *a: DTHè: èni diskaounts fo:*
enfants	**children** *tchildreunn*
handicapés	**disabled** *diséibeuld*
groupes	**groups** *grou:ps*
retraités	**senior citizens** *si:nieu sitizeunnz*
étudiants	**students** *styou:deunnts*
1 adulte et 2 enfants, s.v.p.	**One adult and two children, please.** *ouann ædalt ænd tou: tchildreunn pli:z*
J'ai perdu mon billet.	**I've lost my ticket.** *aïv lost maï tikit*

HEURES ➤ 220

– Five tickets, please. Are there any discounts?
(Cinq billets, s.v.p. Y a-t-il des réductions?)
– Yes. Children and senior citizens pay half price.
(Oui, les enfants et les retraités payent moitié prix.)
– Two adults and three children, please.
(Deux adultes et trois enfants, s.v.p.)
– That'll be £25.50 please. (Ça fait 25£50, s.v.p.)

VISITING HOURS	heures des visites
OPEN	ouvert
CLOSED	fermé
ADMISSION FREE	entrée gratuite
LATEST ENTRY AT 5 P.M.	dernier billet à 17h
NEXT TOUR AT ...	prochaine visite à ...
NO FLASH PHOTOGRAPHY	photos au flash interdites
GIFT SHOP	magasin de souvenirs
NO ENTRY	défense d'entrer

Impressions Impressions

C'est ...	**It's ...** *its*
amusant	**fun** *fann*
beau	**beautiful** *byou:tifeul*
bizarre	**bizarre** *biza:*
ennuyeux	**boring** *bo:rinng*
époustouflant	**breathtaking** *brèTHtéikinng*
étrange	**strange** *stréindj*
fantastique	**brilliant** *brilyeunnt*
intéressant	**interesting** *inntristinng*
laid	**ugly** *agli*
magnifique	**magnificent** *mægnifiseunnt*
romantique	**romantic** *reumæntik*
stupéfiant	**stunning/amazing** *stanninng/euméizinng*
superbe	**superb** *soupeu:b*
terrible	**terrible** *tèribeul*
On en a pour son argent.	**It's good value.** *its goud vælyou:*
C'est du vol organisé.	**It's a rip-off.** *its eu rip-off*
Ça me plaît.	**I like it.** *aï laïk it*
Ça ne me plaît pas.	**I don't like it.** *aï daunt laïk it*

Glossaire touristique
Tourist glossary

alcove renfoncement
altar(piece) autel
apse abside
armory arsenal
baths bains/thermes
battlement créneau
battlements remparts
beam poutre
born in né en/à
brick brique
building bâtiment
built in construit en
buttress contrefort
by (someone) par (quelqu'un)
canvas toile
carving, sculpture sculpture
ceiling plafond
century siècle
choir (stall) chœur
charcoal fusain
churchyard cimetière
clay argile
clock horloge/pendule
coin pièce
commissioned by commandé par
completed in complété en
cornerstone pierre angulaire
courtyard cour
crafts artisanat
crown couronne
design conception
designed by conçu par/dessiné par
destroyed by détruit par
detail détail
died meurt
died in mourut en
discovered in découvert en
display exposition
display cabinet vitrine
donated by légué par
doorway entrée/porte
drawbridge pont-levis
drawing/design dessin
empress impératrice
enamel émail
engraving gravure
erected in érigé en
etching gravure à l'eau-forte
exhibit objet exposé
exhibition exposition
fine arts beaux-arts
foliage rinceau
font fonts baptismaux
formal garden jardin à la française
founded in fondé en
foyer hall d'entrée
foyer vestibule
fresco fresque
frieze frise
furniture meubles
gable pignon
gargoyle gargouille
gate porte, portail
gemstone pierre précieuse
gilded doré à l'or fin
gold (en) or
grave tomb tombe
half-timbered à colombages/à poutres apparentes
hanging tenture
hanging buttress arc-boutant

headstone pierre tombale (de tête)
height hauteur
herringbone à chevrons
in the style of dans le style de
ironwork ferronnerie
jewellery bijoux
king roi
landscape paysage (tableau)
lecture conférence
level 1 niveau 1
library bibliothèque
lived habitait
marble marbre
master maître
masterpiece chef-d'œuvre
moat douves, fossés
model maquette
molding moulures
mural peinture murale
nave nef
oils peintures à l'huile
on loan to prêté à
organ orgue
overhanging en saillie, en surplomb
painted by peint par
painter peintre
painting tableau
panel panneau
paneling lambris
pediment fronton
picture image
pillar pilier
pulpit chaire
queen reine
rebuilt in reconstruit en
reign règne
restored in restauré en
roof toit
royal appartments appartements royaux
scale 1:100 à l'échelle 1/100
school of ... école de ...
seascape paysage marin
shadow ombre
silver argent
silverware argenterie
sketch esquisse
spire flèche
stage scène
stained glass window verrière/vitrail
staircase cage d'escalier
stairs escalier
started in commencé en
stateroom grande salle de réception
still life nature morte
stone pierre
tableau tableau vivant
tapestry tapisserie
temporary exhibit exposition temporaire
terracotta terre cuite
tomb tombeau
tower tour
turret tourelle
vault voûte
wall mur
watercolor aquarelle
waxwork personnage en cire
weapon arme
window fenêtre
wing (of building) aile (d'un bâtiment)
wood bois
works œuvres

Qui/Quoi/Quand?
Who/What/When?

Quel est ce bâtiment?	**What's that building?** *ouats DTHæt bildinng*
Quand a-t-il été construit?	**When was it built?** *ouèn ouaz it bilt*
Qui était ...?	**Who was ...?** *hou: ouaz*
l'architecte/artiste	**the architect/artist** *DTHeu a:kitèkt/a:tist*
C'est quel style?	**What style is that?** *ouat staïl iz DTHæt*
C'est de quelle période?	**What period is that?** *ouat pieurieud iz DTHæt*

Norman (roman ou normand) **XI – XIIe**

Architecture en pierre qui se distingue par ses arches rondes et ses piliers massifs; époque des grandes abbayes et des cathédrales, telles que la cathédrale de Durham.

Gothic (gothique) **XII – XVIe**

Se divise généralement en trois périodes: l'**Early English** (gothique primitif anglais) se distingue par ses fenêtres lancéolées et ses voûtes sur croisée d'ogives (cathédrale de Salisbury); le **Decorated** («décoré») est un style orné, offrant une nouvelle conception de l'espace (cathédrale d'Ely); le **Perpendicular** (perpendiculaire) se caractérise par ses lignes verticales (chapelle Saint-Georges, Windsor).

Tudor XV – XVIe

Se caractérise par ses arches légèrement arrondies, l'application et de bas-reliefs.

Renaissance fin XVIe – fin XVIIe

Retour aux formes classiques sous l'influence du continent.

Baroque fin XVIIe

Style moins développé qu'en France; des architectes tels que Sir Christopher Wren intègrent des éléments baroques à des lignes classiques.

Georgian XVIIIe

Style élégant et opulent, qui caractérise le règne des rois George.

Regency fin XVIIIe – début XIXe

Style éclectique qui doit son nom à la régence du futur George IV.

Victorian (victorien) **XIXe**

Renaissance du gothique sous la reine Victoria (palais de Westminster, à Londres).

Souverains Rulers

Romains (43 – 411)

Invasion romaine de la «Bretagne» (*Britannia*) par les Romains, achevée en 43 sous l'empereur Claude. L'île était alors occupée par les Celtes.

Anglo-saxons et Danois (450 – 1066)

Au Ve siècle, les envahisseurs germaniques (Angles, Jutes, Saxons) refoulent les Bretons en Ecosse, au pays de Galles, en Cornouailles, en Irlande et en Armorique (Bretagne actuelle). A la fin du VIIIe siècle, début des incursions scandinaves – la domination danoise dure jusqu'en 1066.

Normands (1066 – 1154)

En 1066, Guillaume le Conquérant, duc de Normandie, revendique la couronne anglaise. Fondation de la dynastie anglo-normande.

Les Plantagenêts (1154 – 1485)

Formation d'un vaste empire franco-anglais et première expansion territoriale. Conflit avec la France durant la guerre de Cent Ans (1337-1453).

Les Tudors (1485 – 1603)

Henri VIII rompt avec Rome suite à son divorce avec Catherine d'Aragon. Sous Elisabeth 1re (1558–1603), affirmation de l'anglicanisme.

Les Stuarts (1603 – 1714)

Jacques Stuart d'Ecosse succède à Elisabeth 1re. Union des deux couronnes d'Angleterre et d'Ecosse. Guerre civile remportée par les troupes d'Oliver Cromwell.

Les Hanovres (1714 – 1837) et l'ère victorienne (1837 – 1901)

Le 18 juin 1815, Napoléon est défait par les Anglais à Waterloo. Le règne de la reine Victoria correspond au sommet de la puissance britannique.

Les Windsor (depuis 1917)

Dynastie actuelle.

Eglises Churches

L'anglicanisme est la religion officielle. Toutes les villes sont dotées d'une ou plusieurs églises anglicane, protestante, catholique, baptiste ou réformée.

une église catholique/ protestante	**a Catholic/Protestant church** *eu kaTHolik/protèstannt tcheurtch*
une mosquée/une synagogue	**mosque/synagogue** *mosk/sinægog*
A quelle heure est le culte/la messe?	**What time is the service/mass?** *ouat taïm iz THeu seu:vice/mæss*
Je voudrais me confesser.	**I'd like to go to confession.** *aïd laïk tou gau: tou konnfècheun*

A la campagne
In the countryside

Je voudrais une carte de/des…	**I'd like a map of …** *aïd laïk eu mæp euv*
la région	**this region** *DTHis ri:djeunn*
sentiers de randonnée	**walking routes** *ouo:kinng rou:ts*
circuits/pistes cyclables	**cycle routes/paths** *saïkeul rou:ts/pa:THs*
… est à quelle distance (d'ici)?	**How far is it to …?** *haou fa: iz it tou*
Y a-t-il un droit de passage?	**Is there a right of way?** *iz DTHè: eu raït euv ouéi*
Y a-t-il une route touristique pour aller à …?	**Is there a trail/scenic route to …?** *iz DTHè: eu tréil/si:nik rou:t tou*
Pouvez-vous me le montrer sur la carte?	**Can you show me on the map?** *kæn you: chau mi: onn DTHeu mæp*
Je me suis perdu(e).	**I'm lost.** *aïm lost*

Promenades organisées Guided tours

A quelle heure commence la promenade?	**When does the guided walk start?** *ouèn daz DTHeu gaïdid ouo:k sta:t*
A quelle heure reviendrons-nous?	**When will we return?** *ouèn ouil oui: riteu:n*
Je suis épuisé(e).	**I'm exhausted.** *aïm igzo:stid*
C'est quel genre de promenade?	**What's the walk like?** *ouat z DTHeu ouo:k laïk*
facile/moyenne/difficile	**gentle/medium/tough** *djènteul/mi:dieum/taf*
C'est quel genre …?	**What kind of … is that?** *ouat kaïnd euv … iz DTHæt*
d'animal/d'oiseau	**animal/bird** *ænimeul/beu:d*
de fleur/d'arbre	**flower/tree** *flaoueu/tri:*

Caractéristiques géographiques
Geographical features

aire de pique-nique	**picnic area** *piknik èeurieu*
bois	**wood** *woud*
cascade	**waterfall** *ouo:teufo:l*
chaîne de montagnes	**mountain range** *maountinn réindj*
champ	**field** *fi:ld*
col (de montagne)	**mountain pass** *maountinn pa:ss*
colline	**hill** *hil*
étang	**pond** *ponnd*
falaise	**cliff** *klif*
ferme	**farm** *fa:m*
forêt	**forest** *forist*
grotte	**cave** *kéiv*
lac	**lake** *léik*
mer	**the sea** *DTHeu si:*
montagne	**mountain** *maountinn*
panorama	**panorama** *pæneura:meu*
parc	**park** *pa:k*
parc naturel	**nature reserve** *néitcheu rizeu:v*
pic/sommet	**peak** *pi:k*
point de vue	**viewpoint** *vyou:poïnt*
pont	**bridge** *bridj*
rapides	**rapids** *ræpidz*
rivière	**river** *riveu*
ruisseau	**stream** *stri:m*
sentier/chemin	**(foot)path** *(fout)pa:TH*
vallée	**valley** *væli*
vigne	**vineyard** *vinnyeud*
village	**village** *vilidj*

Loisirs

Qu'y a-t-il à voir? What's on?

Pour connaître les spectacles à l'affiche durant votre séjour, le mieux est d'acheter un journal local. A Londres, le magazine hebdomadaire **Time Out** et la revue **What's on in London** (destinée aux touristes) donnent la liste des spectacles, des manifestations culturelles, quelques noms de restaurants et bien d'autres informations utiles.

Avez-vous un programme des spectacles?	**Do you have a programme of events?** *dou: you: hæv eu prau:græm euv ivènts*
Pouvez-vous me/nous conseiller ...?	**Can you recommend ...?** *kæn you: rèkeumènd*
Y a-t-il un ... quelque part?	**Is there a ... on somewhere?** *iz DTHè: eu ... onn samouè:*
ballet/concert	**ballet/concert** *bæléi/konnseut*
film	**film** *film*
opéra	**opera** *opeura*

Disponibilité Availability

A quelle heure commence-t-il?	**When does it start?** *ouèn daz it sta:t*
A quelle heure finit-il?	**When does it end?** *ouèn daz it ènd*
Est-ce qu'il reste des places pour ce soir?	**Are there any seats for tonight?** *a: DTHè: èni si:ts fo: teunaït*
Où est-ce que je peux me procurer des billets?	**Where can I get tickets?** *ouè: kæn aï guètt tikits*
Nous sommes ...	**There are ... of us.** *DTHè: a: ... euv ass*

Billets Tickets

Combien coûtent les places?	**How much are the seats?** *haou match a: DTHeu si:ts*
Avez-vous quelque chose de moins cher?	**Have you got anything cheaper?** *hæv you: got èniTHinng tchi:peu*
Je voudrais réserver …	**I'd like to reserve …** *aïd laïk tou rizeu:v*
3 places pour dimanche soir	**three seats for Sunday evening** *THri: si:ts fo: sanndi i:vninng*
1 place pour vendredi en matinée	**one seat for Friday matinée** *ouann si:t fo: fraïdi mætinéi*

What's your credit card …?	Quel(le) est … de votre carte de crédit?
number	le numéro
type	le nom
expiry date	la date d'expiration
Please pick up the tickets by … p.m.	Venez chercher les billets avant … heures (du soir).
at the reservations desk	au bureau des réservations

Est-ce que je peux avoir un programme, s.v.p.?	**May I have a programme, please?** *méi aï hæv eu praugræm pli:z*
Où est le vestiaire?	**Where's the cloak room?** *ouè:z DTHeu klau:k rou:m*

– Can I help you? (Vous désirez?)
– I'd like to reserve 3 seats for tonight's concert.
(Je voudrais réserver 3 places pour le concert de ce soir.)
– Certainly. (Certainement, monsieur.)
– Can I pay by credit card?
(Est-ce que je peux payer avec une carte de crédit?)
– Yes, of course. (Oui, bien sûr.)
– In that case, I'll use VISA.
(Dans ce cas, je vais payer par carte VISA.)
– Thank you ... Can you sign here, please?
(Merci … Pourriez-vous signer ici, s.v.p.?)

ADVANCE BOOKINGS	réservations
TICKETS FOR TODAY	billets pour aujourd'hui
SOLD OUT	complet

CHIFFRES ➤ 216

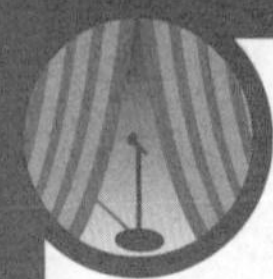

Cinéma Cinema

De nombreux films étrangers sont à l'affiche, surtout à Londres et dans les cinémas art-et-essai des villes universitaires.

Les films en Angleterre sont rarement doublés (**dubbed**).

On ne donne pas de pourboire aux ouvreuses.

Y a-t-il un cinéma multiplex près d'ici?	**Is there a multiplex cinema near here?** *iz DTHè: eu maltiplèks sineuma nieu hieu*
Qu'y a-t-il au cinéma ce soir?	**What's on at the cinema tonight?** *ouats onn æt DTHeu sineuma teunaït*
Est-ce que le film est doublé/ sous-titré?	**Is the film dubbed/subtitled?** *iz DTHeu film dabd/sabtaïteuld*
Est-ce que le film est en version originale français?	**Is the film in the original French?** *iz DTHeu film inn DTHeu euridjineul frèntch*
Un/une ..., s.v.p.	**A ..., please.** *eu ... pli:z*
boîte de pop-corn	**box of popcorn** *boks euv popko:n*
glace au chocolat	**choc-ice** *tchok-aïss*
hot dog	**hot dog** *hot dog*
boisson non alcoolisée	**soft drink** *soft drinngk*
petit/moyen/grand	**small/regular/large** *smo:l/règyouleu/la:dj*

Théâtre Theatre

Qu'est-ce qu'on joue au théâtre ...?	**What's playing at the ... Theatre?** *ouats pléïinng æt DTHeu ... THieuteu*
Qui est l'auteur?	**Who's the playwright?** *hou:z DTHeu pléiraït*
Pensez-vous que ça me plairait?	**Do you think I'd enjoy it?** *dou: you: THinngk aïd inndjoï it*
Je ne comprends pas beaucoup d'anglais.	**I don't understand much English.** *aï daunt eundèrstænd match innglich*

Opéra/Ballet/Danse
Opera/Ballet/Dance

Où est l'opéra?	**Where's the opera house?** *ouè:z DTHi: opeura haouss*
Qui est le compositeur/soliste?	**Who's the composer/soloist?** *hou:z DTHeu keumpauzeu/sauloïste*
Faut-il être en tenue de soirée?	**Is formal dress expected?** *iz fo:meul drèss ikspèktid*
Qui est-ce qui danse?	**Who's dancing?** *hou:z da:nsinng*
Je m'intéresse à la danse contemporaine.	**I'm interested in contemporary dance.** *aïm inntrèstid inn keuntèmpeureuri da:nss*

Musique/Concerts Music/Concerts

Où est la salle de concerts?	**Where's the concert hall?** *ouè:z DTHeu konnseut ho:l*
Quel orchestre/groupe joue?	**Which orchestra/band is playing?** *ouitch o:kistreu/bænd iz pléï-inng*
Qu'est-ce qu'ils jouent?	**What are they playing?** *ouat a: DTHéi pléï-inng*
Qui est le chef d'orchestre/le soliste?	**Who is the conductor/soloist?** *hou: iz DTHeu keunndakteu/sauloïste*
Qui est le groupe en première partie?	**Who is the support band?** *hou: iz DTHeu seupo:t bænd*
J'aime beaucoup le/la ...	**I really like ...** *aï rieuli laïk*
musique country	**country music** *kanntri myou:zik*
musique folk	**folk music** *fauk myou:zik*
jazz	**jazz** *djæz*
musique des années soixante	**music of the 60s** *myou:zik euv DTHeu sikstiz*
musique pop	**pop** *pop*
musique rock	**rock music** *rok myou:zik*
musique soul	**soul music** *saul myou:zik*
Est-ce que vous en avez déjà entendu parler?	**Have you ever heard of her/him?** *hæv you: èveu heu:d euv heu:/himm*
Est-ce qu'ils sont connus?	**Are they popular?** *a: DTHéi popyouleu*

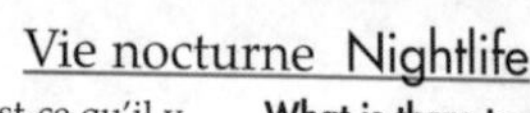

Vie nocturne Nightlife

Qu'est-ce qu'il y a à faire le soir?	**What is there to do in the evenings?** *ouat iz DTHè: tou dou: inn DTHi: i:vninngz*
Pouvez-vous me recommander un(e) ...?	**Can you recommend a ...?** *kæn you: rèkeumènd eu*
Est-ce qu'il y a un/une ... en ville?	**Is there a ... in town?** *iz DTHè: eu ... inn taoun*
bar	**bar** *ba:*
casino	**casino** *keusi:nau*
club gay	**gay club** *guéi klab*
discothèque/boîte (de nuit)	**discotheque** *diskautèk*
night-club	**nightclub** *naïtklab*
restaurant	**restaurant** *rèsteuronnt*
Quel genre de musique jouent-ils?	**What type of music do they play?** *ouat taïp euv myou:zik dou: DTHéi pléi*
Comment est-ce que je peux m'y rendre?	**How do I get there?** *haou dou: aï guètt DTHè:*

Entrée Admission

A quelle heure commence le spectacle?	**What time does the show start?** *ouat taïm daz DTHeu chau sta:t*
Faut-il être en tenue de soirée?	**Is evening dress required?** *iz i:vninng drèss rikouaïeud*
Faut-il payer le couvert?	**Is there a cover charge?** *iz DTHè: eu kaveu tcha:dj*
Faut-il réserver?	**Is a reservation necessary?** *iz eu rèzeuvéicheunn nèssisseuri*
Faut-il être membre?	**Do we have to be members?** *dou: oui: hæv tou bi: mèmbeuz*
Combien de temps devrons-nous faire la queue?	**How long will we have to queue?** *haou lonng ouil oui: hæv tou kyou:*
Je voudrais une bonne table.	**I'd like a good table.** *aïd laïk eu goud téibeul*

INCLUDES 1 COMPLIMENTARY DRINK	une boisson gratuite comprise

Enfants Children

Pouvez-vous recommander quelque chose pour les enfants?	**Can you recommend something for the children?** *kæn you: rèkeumènd samTHinng fo: DTHeu tchildreunn*
Y a-t-il une salle de change pour bébé ici?	**Are there changing facilities here for babies?** *a: DTHè: tchéindjinng feusilitiz hieu fo: béibiz*
Où sont les toilettes?	**Where are the toilets?** *ouè: a: DTHeu toïlits*
terrain de jeux pour enfants/ cour de récréation	**playground** *pléigraound*
fête foraine	**fairground** *fè:graound*
galerie de jeux	**amusement arcade** *eumyou:zmeunnt a:kéid*
garderie/école maternelle	**playgroup/nursery school** *pléigrou:p/neu:seuri skou:l*
petit bassin	**paddling pool** *pædlinng pou:l*
zoo	**zoo** *zou:*

Garde d'enfants Baby-sitting

Pouvez-vous recommander une gardienne d'enfants?	**Can you recommend a baby-sitter?** *kæn you: rèkeumènd eu béibisiteu*
Sont-ils surveillés tout le temps?	**Is there constant supervision?** *iz DTHè: konnsteunnt sou:peuvijeunn*
Le personnel est-il qualifié?	**Are the helpers properly trained?** *a: DTHeu hèlpeuz propeuli tréind*
A quelle heure est-ce que je peux les amener?	**When can I drop them off?** *ouèn kæn aï drop DTHèm off*
Je viendrai les chercher à …	**I'll pick them up at …** *aïl pik DTHèm ap æt*
Nous reviendrons à …	**We'll be back by …** *oui:l bi: bæk baï*
Elle a 3 ans et il a 18 mois.	**She's three and he's eighteen months.** *chi:z THri: ænd hi:z éiti:n mannTHs*

Sports Sports

Les Britanniques aiment le sport, surtout le football, le rugby, le cricket, le tennis, l'équitation et le golf. Lors de votre séjour, vous pourrez aussi être actif et faire du vélo, des randonnées sur divers sentiers (**footpaths**) et, en saison, pratiquer des sports nautiques ou du ski (en Ecosse).

Le cricket

Deux équipes de onze joueurs s'affrontent. Le **bowler** (lanceur) et les dix **fielders** (sur le terrain) appartiennent à une équipe, les deux **batsmen** (batteurs) à l'équipe adverse. Le lanceur de balle essaie d'éliminer le batteur en faisant tomber le **wicket** (le guichet). Le batteur essaie quant à lui d'envoyer la balle le plus loin possible, ce qui lui permet de courir entre les deux guichets et de gagner des **runs** (courses). Sachez qu'un match peut durer plusieurs jours.

La course de lévriers

Il s'agit d'un sport très populaire. Les courses de lévriers tiennent les parieurs en haleine des soirées entières. Elles se déroulent dans des stades et l'on peut dîner sur place.

Football

Les équipes de première division des fédérations de football anglaise et écossaise sont connues dans le monde entier. Il est toutefois très difficile de se procurer des billets pour assister aux matchs – il faut être membre d'un club ou passer par une billetterie, comme **Ticketmaster** qui ajoutera une prime supplémentaire au billet. Sinon, on peut généralement regarder les matchs dans les pubs et les clubs sur des téléviseurs grand écran et se rendre ainsi compte de l'atmosphère.

Tennis

Le tournoi de tennis de Wimbledon de renommée mondiale a lieu chaque année à la fin juin au club de tennis All England. C'est l'un des derniers tournois importants qui se joue encore sur gazon et il est empreint de tradition.

On y vend des fraises à la crème à des prix exorbitants, ainsi que la boisson traditionnelle de l'été – le Pimms à la limonade. Il est souvent difficile de se procurer des billets. La plupart sont distribués par tirage au sort 6 mois àl'avance. Sinon, vous pouvez vous rendre au club très tôt le matin, ou même la veille du match, et faire la queue pour essayer d'obtenir un des billets qui restent. Plus vous y allez tôt, plus vous aurez de chances d'avoir une bonne place. La station de métro la plus proche est celle de Southfields et elle est reliée au club par un service de navette.

En spectateurs Spectating

Y a-t-il un match de football samedi?	**Is there a football match this Saturday?** *iz DTHè: eu foutbo:l mætch DTHis sæteudi*
Quelles sont les équipes?	**Which teams are playing?** *ouitch ti:mz a: pléïinng*
Pouvez-vous me procurer un ticket?	**Can you get me a ticket?** *kæn you: guètt mi: eu tikit*
Combien coûtent les places?	**What's the admission charge?** *ouats DTHeu eudmicheunn tcha:dj*
Où est l'hippodrome?	**Where's the racecourse?** *ouè:z DTHeu réissko:ss*
Où est-ce que je peux faire un pari?	**Where can I place a bet?** *ouè: kæn aï pléiss eu bèt*
Quelle est la cote de ...?	**What are the odds on ...?** *ouat a: DTHeu odz onn*

athlétisme	**athletics**	*æTHlètiks*
basket(ball)	**basketball**	*ba:skitbo:l*
cyclisme	**cycling**	*saïklinng*
football	**football**	*foutbo:l*
golf	**golf**	*golf*
courses de chevaux	**horseracing**	*ho:ssréissinng*
natation	**swimming**	*souiminng*
tennis	**tennis**	*tèniss*
volley(ball)	**volleyball**	*volibo:l*

Pour les sportifs Playing

Où est le ... le plus proche?	**Where's the nearest ...?** *ouè:z DTHeu nieurist*
terrain de golf	**golf course** *golf ko:ss*
club sportif	**sports club** *spo:ts klab*
Où sont les courts de tennis?	**Where are the tennis courts?** *ouè: a: DTHeu tèniss ko:ts*
Combien ça coûte par ...?	**What's the charge per ...?** *ouats DTHeu tcha:dj peu:*
jour/partie/heure	**day/round/hour** *déi/raound/aoueu*

Faut-il être membre du club?	**Do I need to be a member?** *dou: aï ni:d tou bi: eu mèmbeu*
Où est-ce que je peux louer des/du ...?	**Where can I hire...?** *ouè: kæn aï haïeu*
chaussures	**boots** *bou:ts*
clubs (de golf)	**clubs** *klabs*
matériel	**equipment** *ikouipmeunnt*
raquette	**rackets** *rækits*
Est-ce que je peux prendre des leçons?	**Can I take lessons?** *kæn aï téik lèseunnz*
Avez-vous une salle de musculation?	**Do you have a fitness centre?** *dou: you: hæv eu fitniss sènteu*
Est-ce que je peux participer?	**Can I join in?** *kæn aï djoïn inn*

I'm sorry, we're booked up.	Je regrette, nous sommes complets.
There is a deposit of ...	Il faut verser ... de caution.
What size are you?	Quelle pointure faites-vous?
You need a passport size photo.	Il vous faut une photo d'identité.

NO FISHING	pêche interdite
PERMIT HOLDERS ONLY	permis obligatoire
CHANGING ROOMS	vestiaires

A la plage At the beach

Les plages des stations anglaises traditionnelles comme Brighton ou Blackpool ne présenteront que peu d'intérêt pour les touristes. En revanche, les plages de Cornouailles, du pays de Galles, de la région de Norfolk et des îles Anglo-Normandes sont beaucoup plus attirantes, mais attention aux courants et l'eau n'y est jamais chaude.

Sur les plages les plus fréquentées, il y a généralement des surveillants de baignade (**lifeguards**) mais méfiez-vous des criques et des plages plus isolées.

Est-ce que c'est une plage …?	**Is the beach …?** *iz DTHeu bi:tch*
de galets/de sable	**pebbly/sandy** *pèbli/sændi*
Y a-t-il un/une … ici?	**Is there a … here?** *iz DTHè: eu … hieu*
piscine pour enfants	**children's pool** *tchildreunnz pou:l*
piscine …	**… swimming pool** *souiminng pou:l*
couverte/en plein air	**indoor/open-air** *inndo:/aupeunn-èeu*
Est-ce qu'on peut se baigner/plonger ici sans danger?	**Is it safe to swim/dive here?** *iz it séif tou souim/daïv hieu*
Est-ce que c'est sans danger pour les enfants?	**Is it safe for children?** *iz it séif fo: tchildreunn*
Y a-t-il un maître-nageur?	**Is there a lifeguard?** *iz DTHè: eu laïfga:d*
Je voudrais louer un/une/des …	**I want to hire a/some …** *aï ouonnt tou haïeu eu/sam*
chaise longue	**deck chair** *dèk tchèeu*
scooter des mers	**jet ski** *djèt ski:*
canot automobile	**motorboat** *mauteubautt*
équipement de plongée (sous-marine)	**skin-diving equipment** *skinn-daïvinng ikouipmeunnt*
parasol	**sun umbrella** *sann umbrèleu*
planche de surf	**surfboard** *seu:fbo:d*
skis nautiques	**waterskis** *ouo:teuski:z*

ki Skiing

On peut faire du ski de descente (**downhill skiing**) et du ski de fond (**cross-country**) en Écosse, notamment à Aviemore, Glenshee et Glen Coe. Les équipements sont bons, même si le domaine skiable reste quelque peu limité.

Est-ce qu'il y a beaucoup de neige?	**Is there much snow?** *is DTHè: match snau*
Je voudrais louer des …	**I'd like to hire some …** *aïd laïk tou haïeu sam*
bâtons/skis	**poles/skis** *paulz/ski:z*
chaussures de ski	**ski boots** *ski: bou:ts*

Présentations Introductions

Les Anglais sont très formels et la politesse est de rigueur.

Vous saluerez votre interlocuteur par un **good morning** (le matin), un **good afternoon** (l'après-midi) ou un **good evening** (en début de soirée), que vous ferez suivre par **How do you do?**, une formule de politesse à laquelle on répond de la même manière. Vous pourrez également dire **Pleased to meet you** (littéralement «content de vous rencontrer»).

Sachez que les Anglais ne s'embrassent pas souvent et ne se serrent pas beaucoup la main, seulement généralement la première fois où ils se rencontrent. Ils préfèrent se dire bonjour ou au revoir en se faisant un petit signe de la main.

On notera cependant que l'anglais ne fait pas de distinction entre le tutoiement et le vouvoiement («tu» et «vous» se disent **you** dans les deux cas).

Bonjour, nous ne nous connaissons pas, je crois?	**Hello, we haven't met, I believe?** *hèlau oui: hæveunnt mètt aï bili:ve*
Je m'appelle …	**My name's …** *maï néimz*
Puis-je vous présenter …?	**May I introduce …?** *méi aï inntreudyou:ss*
Enchanté.	**Pleased to meet you.** *pli:zd tou mi:t you:*
Comment vous appelez-vous?	**What's your name?** *ouats yo: néim*
Comment allez-vous?	**How are you?** *haou a: you:*
Très bien, merci. Et toi/ Et vous?	**Fine, thanks. And you?** *faïn THænks. ænd you:*

– Hello, how are you? (Bonjour, comment allez-vous?)

– Fine, thanks. And you?
(Très bien, merci. Et vous?)

– Very well, thank you. (Très bien, merci.)

D'où êtes-vous? Where are you from?

D'où venez-vous ?	**Where do you come from?** *ouè: dou: you: kam from*
Où êtes-vous né(e)?	**Where were you born?** *ouè: oueu: you: bo:n*
Je viens …	**I'm from …** *aïm from*
Belgique	**Belgium** *bèldjeum*
Canada	**Canada** *kæneuda*
France	**France** *fra:nss*
Suisse	**Switzerland** *souitzeuleund*
Où habitez-vous?	**Where do you live?** *ouè: dou: you liv*
Vous êtes de quelle région d'/de …	**What part of … are you from?** *ouat pa:t euv … a: you: from*
Angleterre	**England** *innglænd*
Irlande	**Ireland** *aïrlænd*
Ecosse	**Scotland** *skotlænd*
Galles	**Wales** *ouéilz*
Nous venons ici tous les ans.	**We come here every year.** *oui: kam hieu èvri yieu*
C'est la première fois que je viens/nous venons.	**It's my/our first visit.** *its maï/aoueu feu:st vizit*
Est-ce que vous êtes déjà allé(es) … ?	**Have you ever been to …?** *hæv you: èveu bi:n tou*
en France/au Canada	**France/Canada** *frannce/kannada*
Ça vous plaît ici?	**Do you like it here?** *dou: you: laïk it hieu*
Que pensez-vous du/de la/des …?	**What do you think of the …?** *ouat dou: you: THinngk euv DTHeu*
J'adore le/la/les… ici.	**I love the … here.** *aï lav DTHeu … hieu*
Je n'aime pas beaucoup le/la/les … ici.	**I don't really like the … here.** *aï daunt rieuli laïk DTHeu … hieu*
cuisine/gens	**food/people** *fou:d/pi:peul*

Avec qui êtes-vous? Who are you with?

Avec qui êtes-vous?	**Who are you with?** *hou: a: you: ouiDTH*
Je suis tout(e) seul(e).	**I'm on my own.** *aïm onn maï aunn*
Je suis avec un(e) ami(e).	**I'm with a friend.** *aïm ouiDTH eu frènd*
Je suis avec mon/ma/mes ...	**I'm with my ...** *aïm ouiDTH maï*
femme	**wife** *ouaïff*
mari	**husband** *hazbeund*
famille	**family** *fæmili*
enfants	**children** *tchildreunn*
parents	**parents** *pèreunts*
copain/copine	**boyfriend/girlfriend** *boïfrènd/gueu:lfrènd*
père/fils	**father/son** *fa:DTHeu/sann*
mère/fille	**mother/daughter** *maDTHeu/do:teu*
frère/oncle	**brother/uncle** *braDTHeu/anngkeul*
sœur/tante	**sister/aunt** *sisteu/a:nt*
Comment s'appelle votre fils/femme?	**What's your son's/wife's name?** *ouats yo: sannz/ouaïffs néim*
Êtes-vous marié(e)?	**Are you married?** *a: you: mærid*
Je suis ...	**I'm ...** *aïm*
marié(e)/célibataire	**married/single** *mærid/sinngueul*
divorcé(e)/séparé(e)	**divorced/separated** *divo:st/sèpeuréitid*
fiancé(e)	**engaged** *innguéidjd*
Nous vivons ensemble.	**We live together.** *oui: liv teuguèDTHeu*
Avez-vous des enfants?	**Have you got any children?** *hæv you: got èni tchildreunn*
Deux garçons et une fille.	**Two boys and a girl.** *tou: boïz ænd eu gueu:l*
Quel âge ont-ils?	**How old are they?** *haou auld a: DTHéi*
Ils ont dix et douze ans.	**They are ten and twelve.** *DTHéi a: tèn ænd touèlv*

Qu'est-ce que vous faites?

What do you do?

Qu'est-ce que vous faites dans la vie?	**What do you do?** *ouat dou: you: dou:*
Dans quelle branche êtes-vous?	**What line are you in?** *ouat laïn a: you: inn*
Qu'est-ce que vous étudiez?	**What are you studying?** *ouat a: you: stadiinng*
J'étudie …	**I'm studying …** *aïm stadi-inng*
Je suis dans …	**I'm in …** *aïm inn*
le commerce	**business** *bizniss*
l'ingénierie	**engineering** *èndjini:rinng*
la vente au détail	**retail** *ri:téil*
la vente	**sales** *séilz*
Pour qui travaillez-vous …?	**Who do you work for …?** *hou: dou: you: oueu:k fo:*
Je travaille pour …	**I work for …** *aï oueu:k fo:*
Je suis …	**I'm …** *aïm*
comptable	**an accountant** *eunn eukaounteunnt*
femme au foyer	**a housewife** *eu haoussouaïf*
étudiant(e)	**a student** *eu styou:deunnt*
retraité(e)	**retired** *ritaïeud*
au chômage	**unemployed** *eunemmploïd*
Je travaille à mon compte.	**I'm self-employed.** *aïm sèlfimmploïd*
Quels sont vos intérêts/hobbies?	**What are your interests/hobbies?** *ouat a: yo: inntrists/hobiz*
J'aime le/la …	**I like …** *aï laïk*
musique	**music** *myou:zik*
lecture	**reading** *ri:dinng*
sport	**sport** *spo:t*
Je joue …	**I play …** *aï pléi*
Voulez-vous/veux-tu jouer …?	**Would you like to play …?** *woud you: laïk tou pléi*
aux cartes	**cards** *ka:dz*
aux échecs	**chess** *tchèss*

PROFESSIONS, HOBBIES ➤ LEXIQUE 169

Quel temps! What weather!

Quelle belle journée!	**What a lovely day!** *ouat eu lavli déi*
Quel temps horrible!	**What awful weather!** *ouat o:feul ouèDTHeu*
Qu'est-ce qu'il fait froid/chaud aujourd'hui!	**Isn't it cold/hot today!** *izeunnt it kauld/hot teudéi*
Est-ce qu'il fait aussi chaud d'habitude?	**Is it usually as warm as this?** *iz it you:joueuli æz ouo:m æz DTHis*
Croyez-vous qu'il va … demain?	**Do you think it's going to … tomorrow?** *dou: you: THinngk its gau:inng tou … teumorau*
faire beau	**be a nice day** *bi: eu naïss déi*
pleuvoir	**rain** *rèin*
neiger	**snow** *snau*
Que dit la météo pour demain?	**What's the weather forecast?** *ouatz DTHeu ouèDTHeu fo:ka:st*
Il y a …	**It's …** *its*
des nuages	**cloudy** *klaoudi*
du brouillard	**foggy** *fogui*
du givre	**frosty** *frosti*
du verglas	**icy** *aïssy*
du tonnerre	**thundery** *THanndeuri*
du vent	**windy** *ouinndi*
Il pleut.	**It's raining.** *its réininng*
Il neige.	**It's snowing.** *its snauinng*
Il fait du soleil.	**It's sunny.** *its sani*
Fait-il ce temps-là depuis longtemps?	**Has the weather been like this for long?** *hæz DTHeu ouèDTHeu bi:n laïk DTHis fo: lonng*
Quel est le taux de pollen?	**What's the pollen count?** *ouats DTHeu poleunn kaount*
élevé/moyen/bas	**high/medium/low** *haï/mi:dieum/lau*

WEATHER FORECAST prévisions météorologiques

Passez-vous de bonnes vacances?

Enjoying your trip?

Are you on holiday?	Est-ce que vous êtes en vacances?
How did you travel here?	Comment êtes-vous venu(e)(s) ici?
Where are you staying?	Où logez-vous?
How long have you been here?	Depuis combien de temps êtes-vous ici?
How long are you staying?	Combien de temps restez-vous?
What have you done so far?	Qu' avez-vous fait jusqu'à présent?
Where are you going next?	Où allez-vous ensuite?
Are you enjoying your holiday?	Est-ce que vous profitez bien de vos vacances?

Je suis ici en …	**I'm here on …** *aïm hieu onn*
voyage d'affaires	**a business trip** *eu bizniss trip*
vacances	**holiday** *holidéi*
Nous sommes venus …	**We came …** *oui: kéim*
en train/bus/avion	**by train/bus/plane** *baï tréinn/baï bass/baï pléin*
en voiture/ferry	**by car/ferry** *baï ka:/baï fèri*
J'ai une voiture de location.	**I have a hire car.** *aï hæv eu haïeu ka:*
Nous logeons …	**We're staying …** *oui:eu stéiyinng*
dans un appartement	**in a flat** *inn eu flæt*
à l'hôtel/dans un camping	**at a hotel/campsite** *æt eu hautèl/kæmpsaït*
chez des amis	**with friends** *ouiDTH frèndz*
Pouvez-vous me/nous conseiller …?	**Can you suggest …?** *kæn you: seudjèst*
quelque chose à faire	**things to do** *THinngz tou dou:*
des endroits pour manger	**places to eat** *pléissiz tou i:t*
des endroits à visiter	**places to visit** *pléissiz tou vizit*
Nous passons un très bon/très mauvais séjour.	**We're having a great/awful time.** *oui:eu hævinng eu gréit/o:feul taïm*

Invitations Invitations

Voulez-vous venir dîner chez nous ...?	**Would you like to have dinner with us on ...?** *woud you: laïk tou hæv dineu ouiDTH ass onn*
Est-ce que je peux vous inviter à déjeuner?	**May I invite you to lunch?** *méi aï innvaït you: tou lanntch*
Est-ce que vous pouvez venir prendre un verre ce soir?	**Can you come for a drink this evening?** *kæn you: kam fo: eu drinngk DTHis i:vninng*
Nous donnons une soirée. Pouvez-vous venir?	**We are having a party. Can you come?** *oui: a: hævinng eu pa:ti. kæn you: kam*
Est-ce que nous pouvons nous joindre à vous?	**Can we join you?** *kæn oui: djoïn you:*
Voulez-vous vous joindre à nous?	**Would you like to join us?** *woud you: laïk tou djoïn ass*

Sortir Going out

Qu'avez-vous de prévu pour ...?	**What are your plans for ...?** *ouat a: yo: plænz fo:*
aujourd'hui / ce soir	**today/tonight** *teudéi/teunaït*
demain	**tomorrow** *teumorau*
Est-ce que vous êtes libre ce soir?	**Are you free this evening?** *a: you: fri: DTHis i:vninng*
Est-ce que vous aimeriez ...?	**Would you like to ...?** *woud you: laïk tou*
aller danser	**go dancing** *gau da:nsinng*
aller prendre un verre	**go for a drink** *gau fo: eu drinngk*
aller manger	**go out for a meal** *gau aout fo: eu mi:l*
faire une promenade	**go for a walk** *gau fo: eu ouo:k*
aller faire des courses	**go shopping** *gau chopinng*
J'aimerais aller à ...	**I'd like to go to ...** *aïd laïk tou gau tou*
J'aimerais voir ...	**I'd like to see ...** *aïd laïk tou si:*
Aimez-vous ...?	**Do you enjoy ...?** *dou: you: inndjoï*

Accepter / décliner
Accepting/declining

Avec plaisir. — **Great. I'd love to.** *gréit. aïd lav tou*

Merci, mais j'ai à faire. — **Thank you, but I'm busy.** *THænk you: bat aïm bizi*

Est-ce que je peux amener un(e) ami(e)? — **Can I bring a friend?** *kæn aï brinng eu frènd*

Où nous retrouvons-nous? — **Where shall we meet?** *ouè: chæl oui: mi:t*

Je te / vous retrouverai … — **I'll meet you …** *aïl mi:t you:*

devant ton / votre hôtel — **in front of your hotel** *inn frannt euv yo: hautèl*

Je passerai te / vous chercher à 8 heures. — **I'll call for you at eight.** *aïl ko:l fo: you: æt éit*

Un peu plus tard / tôt si possible? — **Could we make it a bit later/earlier?** *koud oui: méik it eu bit léiteu/eu:lieu*

Peut-être un autre jour? — **How about another day?** *haou eubaout eunaDTHeu déi*

D'accord. — **That will be fine.** *DTHæt ouil bi: faïn*

Invitation à dîner Invitation to dinner

Si vous êtes invité à dîner chez un particulier, offrez à votre hôte une bouteille de vin (**bottle of wine**); cela sera toujours apprécié.

Permettez-moi de t' / vous offrir quelque chose à boire. — **Let me buy you a drink.** *lèt mi: baï you: eu drinngk*

Aimes-tu / Aimez-vous …? — **Do you like …?** *dou: you: laïk*

Qu'est-ce que tu prends / vous prenez? — **What are you going to have?** *ouat a: you: gau:inng tou hæv*

C'était un très bon repas. — **That was a lovely meal.** *DTHæt ouaz eu lavli mi:l*

HEURES ➤ 220

Rencontres Encounters

Ça te/vous dérange si …?	**Do you mind if …?** *dou: you: maïnd if*
je m'asseois ici/ je fume	**I sit here/I smoke** *aï sit hieu/aï smauk*
Puis-je t'/vous offrir quelque chose à boire?	**Can I get you a drink?** *kæn aï guètt you: eu drinngk*
J'aimerais bien que vous veniez me tenir compagnie.	**I'd love to have some company.** *aïd lav tou hæv sam kammpeuni*
Pourquoi ris-tu/riez-vous?	**Why are you laughing?** *ouaï a: you: la:finng*
Est-ce que mon anglais est si mauvais que ça?	**Is my English that bad?** *iz maï innglich DTHæt bæd*
Si on allait dans un endroit un peu plus calme?	**Shall we go somewhere quieter?** *chæl oui: gau samouè: kouaïeuteu*
Laissez-moi tranquille, s.v.p.!	**Leave me alone, please!** *li:v mi: eulaun pli:z*
Tu es très beau/belle!	**You look great!** *you: louk gréit*
Est-ce que tu veux venir finir la soirée chez moi?	**Would you like to come back with me?** *woud you: laïk tou kam bæk ouiDTH mi:*
Est-ce que je peux t'embrasser?	**May I kiss you?** *méi aï kiss you:*
C'est encore trop tôt.	**I'm not ready for that.** *aïm not rèdi fo: DTHæt*
Merci pour cette bonne soirée.	**Thanks for the nice evening.** *THænks fo: DTHeu naïss i:vninng*
Il faut que nous partions maintenant.	**I'm afraid we've got to leave now.** *aïm eufréid oui:v got tou li:v naou*
Est-ce que je peux te/vous revoir demain?	**Can I see you again tomorrow?** *kæn aï si: you: euguèn teumorau*
A bientôt.	**See you soon.** *si: you: sou:n*
Est-ce que je peux avoir ton/votre adresse?	**Can I have your address?** *kæn aï hæv yo: eudrèss*

SECURITE ➤ 65

Téléphoner Telephone

Les cabines téléphoniques fonctionnent à pièces ou à carte. Les cartes de téléphone sont vendues dans les bureaux de poste et chez les marchands de journaux arborant le signe vert **Phonecard**. Dans les aéroports et gares, certaines cabines acceptent les cartes de crédit.

Pour téléphoner d'Angleterre vers l'étranger, faites le 00 pour sortir du pays, puis le 33 pour la France, le 32 pour la Belgique, le 352 pour le Luxembourg, le 41 pour la Suisse, et le 1 pour Canada, puis le numéro de votre correspondant (sans le 0 s'il y en a un).

Pour obtenir des renseignements nationaux, composez le 192; pour des renseignements internationaux, le 153.

Pouvez-vous me donner votre numéro de téléphone?	**Can I have your telephone number?** *kæn aï hæv yo: tèlifaun nammbeu*
Voilà mon numéro.	**Here's my number.** *hieu'z maï nammbeu*
Appelez-moi. s.v.p.	**Please call me.** *pli:z ko:l mi:*
Je vous appellerai.	**I'll give you a call.** *aïl guiv you: eu ko:l*
Où est la cabine téléphonique la plus proche?	**Where's the nearest telephone box?** *oué:z DTHeu nieurist tèlifaun boks*
Est-ce que je peux me servir de votre téléphone?	**Can I use your phone?** *kæn aï you:z yo: faun*
C'est urgent.	**It's an emergency.** *its eunn imeu:djeunnsi*
Je voudrais téléphoner à quelqu'un en France.	**I'd like to call someone in France.** *aïd laïk tou ko:l samouann inn fra:nss*
Quel est le code pour …?	**What's the dialling code for …?** *ouats DTHeu daïlinng kaud fo:*
Je voudrais une Télécarte, s.v.p.	**I'd like a phone card, please.** *aïd laïk eu faun ka:d pli:z*
Quel est le numéro des Renseignements?	**What's the number for Directory Inquiries?** *ouats DTHeu nammbeu fo: innfeuméicheunn/dirèkteuri inngkouaïeuriz*
Je voudrais le numéro de …	**I'd like the number for …** *aïd laïk DTHeu nammbeu fo:*
Je voudrais faire un appel en P.C.V.	**I'd like to reverse the charges.** *aïd laïk tou riveu:ss DTHeu tcha:djiz*

Parler au téléphone
Speaking on the phone

Allô. C'est …	**Hello. This is …** *hèlau DTHis iz*
Je voudrais parler à …	**I'd like to speak to …** *aïd laïk tou spi:k tou*
Poste …	**Extension …** *ikstèncheunn*
Pouvez-vous parler plus fort/plus lentement, s.v.p.	**Speak louder/more slowly, please.** *spi:k laoudeu/mo: slauli pli:z*
Pouvez-vous répéter, s.v.p.?	**Could you repeat that, please?** *koud you: ripi:t DTHæt pli:z*
Je regrette, il/elle n'est pas là.	**I'm afraid he's/she's not in.** *aïm eufréid hi:z/chi:z not inn*
Vous avez fait un faux numéro.	**You have the wrong number.** *you hæv DTHeu ronng nammbeu*
Un instant, s.v.p.	**Just a moment, please.** *djast eu maumeunnt pli:z*
Ne quittez pas, s.v.p.	**Hold on, please.** *hauld onn pli:z*
Quand reviendra-t-il/elle?	**When will he/she be back?** *ouèn ouil hi:/chi: bi: bæk*
Pouvez-vous lui (m/f) dire que j'ai appelé?	**Will you tell him/her that I called?** *ouil you: tèl himm/heu: DTHæt aï ko:ld*
Je m'appelle …	**My name's …** *maï néimz*
Pouvez-vous lui (m/f) demander de me rappeler?	**Could you ask him/her to phone me?** *koud you: a:sk himm/heu: tou faun mi:*
Il faut que je raccroche maintenant.	**I must go now.** *aï mast gau naou*
J'ai été content(e) de te/vous parler.	**Nice to speak to you.** *naïss tou spi:k tou you:*
Je te/vous téléphonerai.	**I'll be in touch.** *aïl bi: inn tatch*
Au revoir.	**Bye.** *baï*

Magasins et Services

Grands magasins (**department stores**): **Harrods**, à Londres, où l'on trouve – paraît-il – de tout, **John Lewis**, **Rackams** comptent parmi les plus réputés.

Les magasins **Marks and Spencer** (fréquentés notamment pour leur rayon alimentation) et **Woolworth** (équivalent du Prisunic français) sont partout représentés.

Des marchés locaux se tiennent un peu partout dans le pays. A Londres, les marchés de **Portobello Road**, **Spitalfields**, **Petticoat Lane** et **Camden Passage** valent le détour.

L'ESSENTIEL

Je voudrais ...	**I'd like ...** *aïd laïk*
Avez-vous ...?	**Do you have ...?** *dou: you: hæv*
C'est combien?	**How much is that?** *haou match is DTHæt*
Merci.	**Thank you.** *THænk you:*

Magasins et services
Stores and services

Où est ...? Where is ...?

Où est ... le/la plus proche?	**Where's the nearest ...?** *ouè:z DTHeu nieurist*
Où y a-t-il un(e) bon(ne) ...?	**Where's there a good ...?** *ouè:z DTHè: eu goud*
Où est le centre commercial principal?	**Where's the main shopping center?** *ouè:z DTHeu méin chopinng sènteu*
Est-ce loin d'ici?	**Is it far from here?** *iz it fa: from hieu*
Comment puis-je y aller?	**How do I get there?** *haou dou: aï guètt DTHè:*

Magasins Shops

antiquaire	**antique shop** *ænti:k chop*
banque	**bank** *bænk*
bijouterie	**jeweller** *djou:euleu*
boucher	**butcher** *boutcheu*
boulangerie	**bakery** *béikeuri*
bureau de tabac	**tobacconist** *teubækeunist*
centre commercial	**shopping centre** *chopinng sènteu*
charcutier/traiteur	**delicatessen** *dèlikeutèsseunn*
droguerie	**drugstore** *dragsto:*
épicier	**grocer** *grausseu*
fleuriste	**florist** *florist*
grand magasin	**department store** *dipa:tmeunnt sto:*
kiosque à journaux	**newsstand** *nyou:zstænd*
librairie	**bookshop** *boukchop*
magasin d'articles de sport	**sports shop** *spo:ts chop*
magasin de cadeaux	**gift shop** *guift chop*
magasin de chaussures	**shoe shop** *chou: chop*

magasin de diététique	**health food shop** *hèlTH fou:d chop*
magasin de disques	**record/music shop** *riko:d/myou:zik chop*
magasin de jouets	**toy shop** *toï chop*
magasin de photos	**camera shop** *kæmeureu chop*
magasin de souvenirs	**souvenir shop** *sou:veunieu chop*
magasin de vêtements	**clothes shop** *klauDTHz chop*
marchand de fruits et légumes	**greengrocer** *gri:nngrosseu*
marchand de vin	**wine merchant/off licence** *ouaïn meu:tcheunnt/off laïseunns*
marché	**market** *ma:kit*
pharmacie	**chemist** *kèmist*
poissonnerie	**fishmonger** *fichmanngueu*
pâtisserie	**cake shop** *kéik chop*
supermarché	**supermarket** *syou:peuma:kit*

Services Services

agence de voyages	**travel agency** *træveul éidjeunnsi*
bibliothèque	**library** *laïbreuri*
coiffeur (femmes/hommes)	**hairdresser (ladies/mens)** *hèeudrèsseu (léidiz/mènz)*
commissariat de police	**police station** *peuli:ss stéicheunn*
dentiste	**dentist** *dèntist*
hôpital	**hospital** *hospiteul*
laverie automatique	**launderette** *lo:ndeurèt*
médecin	**doctor** *dokteu*
opticien	**optician** *opticheunn*
polyclinique	**polyclinic** *poliklinik*
poste	**post office** *paust ofiss*
pressing/nettoyage à sec	**dry cleaner** *draï-kli:neu*

Heures d'ouverture Business hours

Dans la plupart des villes, les magasins sont généralement ouverts sans interruption de 9h à 17h30 ou 18h. Une fois par semaine, le mercredi ou le jeudi, ils font nocturne jusqu'à 20h.

L'ouverture des magasins le dimanche est de plus en plus courante au Royaume-Uni et la législation est assez souple. Les centres commerciaux principaux ont généralement des heures d'ouverture réduites, de 11h à 16h environ.

A quelle heure l'/le ... ouvre-t-il/ferme-t-il?	**When does the ... open/shut?** *ouèn daz DTHeu ... aupeunn/chat*
Etes-vous ouverts en soirée?	**Are you open in the evening?** *a: you: aupeunn inn DTHi: i:vninng*
Fermez-vous pour le déjeuner?	**Do you close for lunch?** *dou: you: klauz fo: lanntch*
Où est le/la/l' ...?	**Where's the ...?** *ouè:z DTHeu*
ascenseur	**lift** *lift*
caisse	**cash desk** *kæch dèsk*
escalier roulant	**escalator** *èskeuléiteu*
plan du magasin	**store guide** *sto: gaïd*
rez-de-chaussée	**ground floor** *graound flo:*
premier étage	**first floor** *feu:st flo:*
Où est le rayon des ...?	**Where's the ... department?** *ouè:z DTHeu ... dipa:tmeunnt*

BUSINESS HOURS	heures d'ouverture
CLOSED FOR LUNCH	fermé pour le déjeuner
OPEN ALL DAY	ouvert toute la journée
EXIT	sortie
EMERGENCY/FIRE EXIT	sortie de secours
ENTRANCE	entrée
STAIRS	escaliers
ESCALATOR	escalier roulant
LIFT	ascenseur

Services Services

Pouvez-vous m'aider?	**Can you help me?** *kæn you: hèlp mi:*
Je cherche …	**I'm looking for …** *aïm loukinng fo:*
Je regarde seulement.	**I'm just browsing.** *aïm djast brauzinng*
C'est à moi.	**It's my turn.** *its maï teu:n*
Avez vous …?	**Have you got any …?** *hæv you: got èni*
Je voudrais acheter …	**I'd like to buy …** *aïd laïk tou baï*
Pouvez-vous me montrer …?	**Could you show me …?** *koud you: chau mi:*
Combien coûte ceci/cela?	**How much is this/that?** *haou match iz DTHis/DTHæt*
C'est tout, merci.	**That's all, thanks.** *DTHæts o:l THænks*

Good morning/afternoon, Madam/Sir.	Bonjour, madame/monsieur.
Can I help you?	Je peux vous aider?
What would you like?	Vous désirez?
I'll just check that for you.	Je vais vérifier.
Is that everything?	Ce sera tout?
Anything else?	Et avec ça?/Il vous faut autre chose?

– *Can I help you? (Je peux vous aider?)*
– No, thank you. I'm just browsing.
(Non, merci. Je regarde seulement.)
– *Please do. (Je vous en prie.)*

– Excuse me. (Pardon, madame.)
– *Yes, can I help you? (Oui, je peux vous aider?)*
– How much is this? (C'est combien?)
– *Er… I 'll just check that for you … It's nine pounds eighty.*
(Euh … Je vais vérifier … c'est 9£80.)

CUSTOMER SERVICE	accueil
SALE	soldes

Préférences Choices

Je voudrais quelque chose de …	**I want something …** *aï ouonnt samTHinng*
Ça doit être …	**It must be …** *it mast bi:*
grand/petit	**big/small** *big/smo:l*
bon marché/cher	**cheap/expensive** *tchi:p/ikspènsiv*
foncé/clair	**dark/light** *da:k/laït*
léger/lourd	**light/heavy** *laït/hèvi*
ovale/rond/carré	**oval/round/square** *auveul/raound/skouè:*
original/d'imitation	**genuine/imitation** *djényouinn/imitéicheunn*
Je ne veux pas quelque chose de trop cher.	**I don't want anything too expensive** *aï daunt ouonnt èniTHinng tou ikspènsiv*
Dans les … livres environ.	**In the region of … pounds.** *inn DTHeu ri:djeunn euv … paoundz*

What … would you like?	Quel(le) … voulez vous?
colour/shape	couleur/forme
quality/quantity	qualité/quantité
What sort would you like?	Quel genre voulez-vous?
What price range are you thinking of?	Dans quel ordre de prix cherchez-vous?

Avez-vous quelque chose de …?	**Have you got anything …?** *hæv you: got èniTHinng*
plus grand	**larger** *la:djeu*
meilleure qualité	**better quality** *bèteu kouoliti*
moins cher	**cheaper** *tchi:peu*
plus petit	**smaller** *smo:leu*
Pouvez-vous me montrer …?	**Can you show me …?** *kæn you chau mi:*
celui-là/celui-ci	**that/this one** *DTHæt/DTHis ouann*
ceux-ci/ceux-là	**these/those ones** *DTHi:z/DTHauz ouannz*
celui en vitrine	**the one in the window/display case** *DTHeu ouann inn DTHeu ouinndau/displéi kéiss*
d'autres	**some others** *sam aDTHeuz*

COULEURS ➤ 144

Conditions d'achat Conditions of purchase

Y a-t-il une garantie?	**Is there a guarantee?** *iz DTHè: eu gæreunnti:*
Est-ce qu'il y a des instructions?	**Are there any instructions with it?** *a: DTHè: èni innstrakcheunnz ouiDTH it*

Epuisé Out of stock

I'm sorry, we haven't got any.	Je regrette, nous n'en avons pas.
We're out of stock.	L'article/Le stock est épuisé.
Can I show you something else?	Est-ce que je peux vous montrer quelque chose d'autre?
Shall we order it for you?	Voulez-vous que nous vous le commandions?

Pouvez-vous me le commander?	**Can you order it for me?** *kæn you: o:deu it fo: mi:*
Il faudra combien de temps?	**How long will it take?** *haou lonng ouil it téik*
Où est-ce que je pourrais trouver ...?	**Where else might I get ...?** *ouè: èlss maït aï guètt*

Décision Decision

Ce n'est pas vraiment ce que je veux.	**That's not quite what I want.** *DTHæts not kouaït ouat aï ouonnt*
Non, ça ne me plaît pas.	**No, I don't like it.** *nau, aï daunt laïk it*
C'est trop cher.	**That's too expensive.** *DTHæts tou ikspènsiv*
Je voudrais réfléchir.	**I'd like to think about it.** *aïd laïk tou THinngk eubaout it*
Je le prends.	**I'll take it.** *aïl téik it*

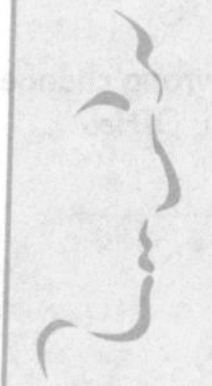

– Good morning. I'm looking for a sweat shirt.
(Bonjour. Je cherche un sweat-shirt.)
– What colour would you like?
(Qu'est-ce-que vous voulez comme couleur?)
– Orange, please. And large, please.
(Orange, s.v.p. Et grand, s.v.p.)
– Here you are. (Voilà.)
– Er ... That's not quite what I want. Thank you.
(Euh ... Ce n'est pas vraiment ce que je veux. Merci.)

Paiement Paying

La **VAT** (*Value Added Tax* – TVA française) est généralement comprise dans le prix de vente des biens et des services. Les visiteurs ne résidant pas au sein de l'Union européenne et qui effectuent des achats importants peuvent réclamer le remboursement de la **VAT** en remplissant un formulaire au moment de l'achat (qu'ils devront présenter à la douane au moment du départ).

Où dois-je payer? — **Where do I pay?** *ouè: dou: aï péi*

C'est combien? — **How much is that?** *haou match iz DTHæt*

Pourriez-vous me l'écrire, s.v.p.? — **Could you write it down, please?** *koud you: raït it daoun pli:z*

Acceptez-vous les chèques de voyage? — **Do you accept traveller's cheques?** *dou: you: euksèpt træveuleuz tchèks*

Je paie … — **I'll pay …** *aïl péi*

en liquide — **by cash** *baï kæch*

avec une carte de crédit — **by credit card** *baï krèdit ka:d*

Je n'ai pas de monnaie. — **I haven't got any smaller change.** *aï hæveunt got èni smo:leu tchéindj*

Je regrette, je n'ai pas assez d'argent. — **Sorry, I haven't got enough money.** *sori aï hæveunt got inaf mani*

How are you paying?	Comment payez-vous?
This transaction has not been approved/accepted.	Cette transaction n'a pas été approuvée/acceptée.
This card is not valid.	Cette carte n'est pas valide.
Can I have further identification?	Avez-vous une autre pièce d'identité?
Have you got any smaller change?	Avez-vous de la monnaie?

Est-ce que je peux avoir un ticket de caisse? — **Could I have a receipt please?** *koud aï hæv eu risi:t pli:z*

Je crois que vous vous êtes trompé en me rendant la monnaie. — **I think you've given me the wrong change.** *aï THinngk you:v guiveunn mi: DTHeu ronng tchéindj*

PLEASE PAY HERE	payez ici
SHOPLIFTERS WILL BE PROSECUTED	les voleurs seront poursuivis (en justice)

HEURES ➤ 220; DATES ➤ 218

Plaintes Complaints

Il y a un défaut.	**This doesn't work.** *DTHis dazeunnt oueu:k*
Pouvez-vous échanger ceci, s.v.p.?	**Can you exchange this, please?** *kæn you: ikstchéindj DTHis pli:z*
Je voudrais être remboursé(e).	**I'd like a refund.** *aïd laïk eu rifannd*
Voici le ticket de caisse.	**Here's the receipt.** *hieuz DTHeu risi:t*
Je n'ai pas le ticket de caisse.	**I don't have the receipt.** *aï daunt hæv DTHeu risi:t*
Je voudrais voir le directeur du magasin.	**I'd like to see the manager.** *aïd laïk tou si: DTHeu mænidjeu*

Réparations/Nettoyage Repairs/Cleaning

Dans toutes les villes, on trouve des blanchisseries (**laundries**) et des pressings (**dry-cleaners**), ainsi que des laveries automatiques (**launderettes**). Dans ces dernières, on peut laisser son linge au **service wash** et venir le récupérer plus tard, lavé et séché.

C'est cassé. Pouvez-vous le réparer?	**This is broken. Can you repair it?** *DTHis iz brau:keunn. kæn you: ripè: it*
Avez-vous ... pour ceci?	**Have you got ... for this?** *hæv you: got ... fo: DTHis*
une pile	**a battery** *eu bæteuri*
des pièces de rechange	**replacement parts** *ripléissmeunnt pa:ts*
Quelque chose ne marche pas dans ...	**There's something wrong with ...** *DTHè:z samTHinng ronng ouiDTH*
Pouvez-vous le ...?	**Can you ... this?** *kæn you: ... DTHis*
nettoyer	**clean** *kli:n*
repasser	**press** *prèss*
raccommoder	**patch** *pætch*
Pouvez-vous faire des retouches?	**Could you alter this?** *koud you: o:lteu DTHis*
Quand sera-t-il prêt?	**When will it be ready?** *ouèn ouil it bi: rèdi*
Ce n'est pas à moi.	**This isn't mine.** *DTHis izannt maïn*
Il manque ...	**There's ... missing.** *DTHè:z ... missinng*

Banque/Bureau de change
Bank/Bureau de change

On peut obtenir de l'argent liquide auprès des distributeurs de billets automatiques si l'on est muni d'une carte Visa, Mastercard ou American Express. N'oubliez pas votre passeport si vous voulez échanger des chèques de voyage (**traveller's cheques**). La majorité des banques ont un bureau de change. Les hôtels peuvent effectuer des opérations de change, mais pour leurs clients seulement.

Où est … le/la plus proche?	**Where's the nearest …?** *ouè:z DTHeu nieurist*
la banque	**bank** *bænk*
le bureau de change	**bureau de change** *«bureau de change»*

OPEN/CLOSED	ouvert/fermé
PUSH/PULL/PRESS	poussez/tirez/appuyez
CASHIERS	caisses
ALL TRANSACTIONS	toutes transactions

Pour changer de l'argent Changing money

Est-ce que je peux changer des devises étrangères ici?	**Can I exchange foreign currency here?** *kæn aï ikstchéindj foreunn kareunnsi hieu*
Je voudrais changer des euros en livres.	**I'd like to change some euros into pounds.** *aïd laïk to tchéindj sam youreuse inntou paoundz*
Je voudrais encaisser des chèques de voyage.	**I want to cash some traveller's cheques.** *aï ouonnt tou kæch sam træveuleuz tchèks*
Quel est le taux (de change)?	**What's the exchange rate?** *ouats DTHeu ikstchéindj réit*
Quelle commission prenez-vous?	**How much commission do you charge?** *haou match keumicheunn dou: you: tcha:dj*
Est-ce que je pourrais avoir de la petite monnaie?	**Could I have some small change?** *koud aï hæv sam smo:l tchéindj*
J'ai perdu mes chèques de voyage. Voici les numéros.	**I've lost my traveller's cheques. These are the numbers.** *aïv lost maï træveuleuz tchèks. DTHi:z a: DTHeu nammbeuz*

HEURES ➤ 220; DATES ➤ 218

Sécurité Security

Could I see ...?	Est-ce que je peux voir...?
your passport	votre passeport
some identification	une pièce d'identité
your bank card	votre carte bancaire
What's your address?	Quelle est votre adresse?
Where are you staying?	Où logez-vous?
Can you fill in this form, please?	Pouvez-vous remplir cette fiche, s.v.p.?
Please sign here.	Signez ici, s.v.p.

Distributeurs automatiques Cash machines

Est-ce que je peux retirer de l'argent avec ma carte de crédit ici?

Can I withdraw money on my credit card here? *kæn aï ouiDTHdro: mani onn maï krèdit ka:d hieu*

Où sont les distributeurs automatiques?

Where are the cash machines? *ouè: a: DTHeu kæch meuchi:nz*

Est-ce que je peux me servir de ma carte ... dans ce distributeur?

Can I use my ... card in the cash machine? *kæn aï you:z maï ... ka:d inn DTHeu kæch meuchi:n*

Le distributeur a avalé ma carte.

The cash machine has eaten my card. *DTHeu kæch meuchi:n hæz i:teunn maï ka:d*

CASH MACHINE	distributeur automatique

Currency	**pound [Sterling] (£) = 100 pence (p)**	
	Pièces	1p, 2p, 5p, 10p, 20p, 50p, £1, £2
	Billets	£5, £10, £20, £50

– What's the exchange rate for the euro today?
(Quel est le taux de change du euros aujourd'hui?)
– It's ... (C'est ...)
– Very good. I'd like to change 50 euros.
(Bon. Je voudrais changer 50 euros.)

Pharmacie Chemist

Dans la plupart des pharmacies anglaises, on peut acheter des produits pharmaceutiques, mais aussi des articles de toilette, des cosmétiques, voire des sandwichs et confiseries.

Dans chaque ville, une pharmacie de garde (**all-night chemist/duty chemist**) reste ouverte la nuit, le dimanche et les jours fériés. L'adresse est indiquée sur les portes des autres pharmacies et dans les journaux locaux.

Où est la pharmacie (de garde) la plus proche?	**Where's the nearest (all-night) chemist?** *ouè:z DTHeu nieurist (o:l naït) kèmist*
A quelle heure ouvre/ferme la pharmacie?	**What time does the chemist open/close?** *ouat taïm daz DTHeu kèmist aupeunn/klauz*
Pouvez-vous me préparer cette ordonnance?	**Can you make up this prescription for me?** *kæn you: méik ap DTHis priskripcheunn fo: mi:*
Est-ce que je dois attendre?	**Shall I wait?** *chæl aï ouéit*
Je reviendrai les chercher.	**I'll come back for it.** *aïl kam bæk fo: it*

Posologie Dosage instructions

Combien dois-je en prendre?	**How much should I take?** *haou match choud aï téik*
Combien de fois dois-je le prendre?	**How often should I take it?** *haou ofeunn choud aï téik it*
Est-ce que ça convient aux enfants?	**Is it suitable for children?** *iz it sou:teubeul fo: tchildreunn*

Take ... tablets/teaspoons ...	Prenez ... comprimés/cuillerées à café ...
before/after meals	avant/après les repas
with water	avec un verre d'eau
whole	entier (sans croquer)
in the morning/at night	le matin/le soir
for ... days	pendant ... jours

MEDECIN ➤ 163

J'ai un/une …	**I've got …** *aïv got*
ampoule	**a blister** *eu blisteu*
blessure	**a wound** *eu wou:nd*
bleu	**a bruise** *eu brou:z*
boule/bosse	**a lump** *eu lammp*
brûlure	**a burn** *eu beu:nn*
coupure	**a cut** *eu kat*
égratignure	**a graze** *eu gréiz*
enflure	**a swelling** *eu souèlinng*
éruption cutanée	**a rash** *eu ræch*
furoncle	**a boil** *eu boïl*
muscle froissé	**a strained muscle** *eu stréind masseul*
piqûre d'insecte	**an insect bite** *eunn innsèkt baït*
piqûre	**a sting** *eu stinng*
rhume	**a cold** *eu kauld*
J'ai mal au/à la/à l'…	**My … hurts.** *maï … heu:tz*

EXPIRY DATE	date d'expiration
ONLY FOR EXTERNAL USE	pour usage externe uniquement
DO NOT SWALLOW/NOT TO BE TAKEN INTERNALLY	ne pas avaler
PRESCRIPTION ONLY	seulement sur ordonnance

I've got a cold. What can you recommend?
(J'ai un rhume. Que me recommandez-vous?)

This product is very good for colds.
(Ce médicament est efficace contre le rhume)

How many tablets do I have to take?
(Combien de comprimés dois-je prendre?)

One every four hours. I recommend that you see a doctor if you don't get better in two days.
(Un toute les quatre heures. Je vous recommande de voir le docteur si vous n'allez pas mieux dans 2 jours.)

Demander conseil Asking advice

Qu'est-ce que vous me recommandez pour un/une/des ...?	**What would you recommend for ...?** *ouat woud you: rèkeumènd fo:*
rhume	**a cold** *eu kauld*
toux	**a cough** *eu kof*
diarrhée	**diarrhoea** *daïeurieu*
gueule de bois	**a hangover** *eu hængauveu*
rhume des foins	**hay fever** *héi fi:veu*
piqûres d'insectes	**insect bites** *innsèkt baïts*
mal de gorge	**a sore throat** *eu so: THrautt*
coups de soleil	**sunburn** *sannbeu:n*
mal des transports	**travel sickness** *træveul sikniss*
mal au ventre	**an upset stomach** *eunn apsèt stameuk*
Puis-je l'obtenir sans ordonnance?	**Can I get it without a prescription?** *kæn aï guètt it ouiDTHaout eu priskripcheunn*

Médicaments délivrés sans ordonnance Over-the-counter medicine

Pouvez-vous me donner ...?	**Can I have some ...?** *kæn aï hæv sam*
analgésiques	**pain killers** *péinn kileuz*
aspirine (soluble)	**(soluble) aspirin** *(solyoubeul) æspeurinn*
bandage	**bandage** *bændidj*
coton (hydrophile)	**cotton wool** *koteunn woul*
crème antiseptique	**antiseptic cream** *æntisèptik kri:m*
crème/lotion contre les insectes	**insect repellent** *innsèkt ripèleunnt*
préservatifs	**condoms** *konndeumz*
vitamines	**vitamin tablets** *viteuminn tæblits*

MEDECIN ➤ 163

Articles de toilette Toiletries

Je voudrais de la/du/des ...	**I'd like some ...** *aïd laïk sam*
crème hydratante	**moisturizing cream** *moïsstcheuraïzinng kri:m*
crème solaire	**suntan cream** *sanntæn kri:m*
dentifrice	**toothpaste** *touTHpéist*
déodorant	**deodorant** *di:audeureunnt*
écran total	**sun block** *sann blok*
facteur ...	**factor ...** *fækteu*
lames de rasoir	**razor blades** *réizeu bléidz*
lotion après-rasage	**aftershave** *a:fteu chéiv*
lotion après-soleil	**after-sun lotion** *a:fteu sann laucheunn*
mouchoirs en papier	**tissues** *tichou:z*
papier-toilette/hygiénique	**toilet paper** *toïlit péipeu*
serviettes hygiéniques	**sanitary towels** *sæniteuri taoueulz*
savon	**soap** *saup*
tampons	**tampons** *tæmpeunnz*

Soins des cheveux Hair care

après-shampooing	**conditioner** *keunndicheunneu*
laque	**hair spray** *hè: spréi*
mousse pour cheveux	**hair mousse** *hè: mou:ss*
peigne	**comb** *kaum*
shampooing	**shampoo** *chæmpou:*

Pour le bébé For the baby

aliments pour bébé	**baby food** *béibi fou:d*
lingettes	**baby wipes** *béibi ouaïps*
couches	**nappies** *næpiz*
solution de stérilisation	**sterilizing solution** *stèrilaïzinng seulou:cheunn*

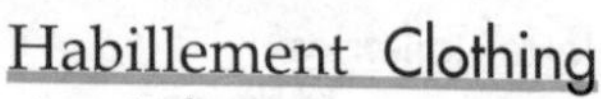

Habillement Clothing

Les amateurs de shopping auront de quoi faire à Londres, surtout durant les soldes (**sales**) de janvier et d'été où l'on trouve des articles avec parfois jusqu'à 50% de réductions.

Les boutiques hors-taxes des aéroports offrent des articles avantageux, mais la sélection est restreinte.

Généralités General

Je voudrais …	**I'd like …** *aïd laïk*
Avez-vous des …?	**Have you got any …?** *hæv you: got èni*

LADIESWEAR	vêtements femmes
MENSWEAR	vêtements hommes
CHILDRENSWEAR	vêtements enfants

Couleur Colour

Je cherche quelque chose en …	**I'm looking for something in …** *aïm loukinng fo: samTHinng inn*
beige	**beige** *béij*
noir	**black** *blæk*
bleu	**blue** *blou:*
marron	**brown** *braoun*
vert	**green** *gri:n*
gris	**grey** *gréi*
orange	**orange** *orinndj*
rose	**pink** *pinngk*
violet	**purple** *peu:peul*
rouge	**red** *rèd*
blanc	**white** *ouaït*
jaune	**yellow** *yèlau*
… clair	**light …** *laït*
… foncé	**dark …** *da:k*
Je veux une teinte plus foncée/claire.	**I want a darker/lighter shade.** *aï ouonnt eu da:keu/laïteu chéid*
Avez-vous le même en …?	**Have you got the same in …?** *hæv you: got DTHeu séim inn*

Vêtements et accessoires
Clothes and accessories

bas	**stocking** *stokinng*
bikini	**bikini** *biki:ni*
caleçon	**leggings** *lèguinngz*
casquette	**cap** *kæp*
ceinture	**belt** *bèlt*
chapeau	**hat** *hæt*
chaussettes	**socks** *soks*
chemise	**shirt** *cheu:t*
chemisier	**blouse** *blaouz*
collant	**tights** *taïts*
costume	**suit** *sou:t*
culotte	**briefs** *bri:fs*
cravate	**tie** *taï*
écharpe	**scarf** *ska:f*
imperméable	**raincoat** *réinkautt*
jean	**jeans** *dji:nz*
jupe	**skirt** *skeu:t*
maillot de bain	**swimsuit** *souimsou:t*
manteau	**coat** *kautt*
pantalon	**trousers** *traouzeuz*
pull-over/pull	**pullover** *poulauveu*
robe	**dress** *drèss*
sac à main	**handbag** *hændbæg*
short	**shorts** *cho:ts*
slip	**underpants** *anndeupænts*
slip de bain	**swimming trunks** *souiminng tranngks*
soutien-gorge	**bra** *bra:*
sweat-shirt	**sweatshirt** *souètcheu:t*
T-shirt	**T-shirt** *ti:cheu:t*
veste	**jacket** *djækit*
à manches longues/courtes	**with long/short sleeves** *ouiDTH lonng/cho:t sli:vz*
à encolure en V/ronde	**with a V-/round neck** *ouiDTH eu vi:/raound nèk*

Chaussures Shoes

Une paire de ...	**A pair of ...** *eu pè: euv*
bottes	**boots** *bou:ts*
chaussures	**shoes** *chou:z*
chaussures de sport	**trainers** *tréineuz*
pantoufles	**slippers** *slipeuz*
sandales	**sandals** *sændeulz*
tongs	**flip-flops** *flip-flops*

Equipement pour la marche Walking/Hiking gear

coupe-vent	**cagoule** *keugou:l*
sac à dos	**rucksack** *reuksæk*
chaussures de marche	**walking boots** *ouo:kinng bou:ts*
blouson imperméable	**waterproof jacket** *ouo:teuprou:f djækit*

Tissu Fabric

Je veux quelque chose en ...	**I want something in ...** *aï ouonnt samTHinng inn*
coton	**cotton** *koteunn*
jean	**denim** *dènim*
dentelle	**lace** *léiss*
cuir	**leather** *lèDTHeu*
lin	**linen** *lininn*
laine	**wool** *woul*
Est-ce ...?	**Is this ...?** *iz DTHis*
pur coton	**pure cotton** *pyoueu koteunn*
en synthétique	**synthetic** *sinnTHètik*
Est-ce lavable à la main/ lavable en machine?	**Is it hand washable/machine washable?** *iz it hænd ouocheubeul/meuchi:n ouocheubeul*

COLOURFAST	grand teint/ne déteint pas
HANDWASH ONLY	lavage main seulement
DO NOT IRON	ne pas repasser
DRY-CLEAN ONLY	nettoyage à sec seulement

Ça vous va? Does it fit?

Est-ce que je peux essayer ça?	**Can I try this on?** *kæn aï traï DTHis onn*
Où sont les cabines d'essayage?	**Where's the fitting room?** *ouè:z DTHeu fitinng rou:m*
Ça me va bien. Je le prends.	**It fits well. I'll take it.** *it fits ouèl. aïl téik it*
Ça ne me va pas.	**It doesn't fit.** *it dazeunnt fit*
C'est trop …	**It's too …** *its tou:*
court/long	**short/long** *cho:t/lonng*
étroit/ample	**tight/loose** *taït/lou:ss*
Est-ce que vous avez ceci dans la taille …?	**Have you got this in size …?** *hæv you: got DTHis inn saïz*
C'est quelle taille?	**What size is this?** *ouat saïz iz DTHis*
Pouvez-vous prendre mes mesures?	**Could you measure me, please?** *koud you: mèjeu mi: pli:z*
Je ne connais pas les tailles anglaises.	**I don't know English sizes.** *aï daunt nau innglich saïziz*

Taille Size

	Robes/Costumes						Chaussures des femmes			
Canadien	8	10	12	14	16	18	6	7	8	9
Anglais	10	12	14	16	18	20	$4^{1/2}$	$5^{1/2}$	$6^{1/2}$	$7^{1/2}$
Continental	36	38	40	42	44	46	37	38	40	41

	Chemises				Chaussures des hommes								
Canadien / Anglais	15	16	17	18	5	6	7	8	$8^{1/2}$	9	$9^{1/2}$	10	11
Continental	38	41	43	45	38	39	41	42	43	43	44	44	45

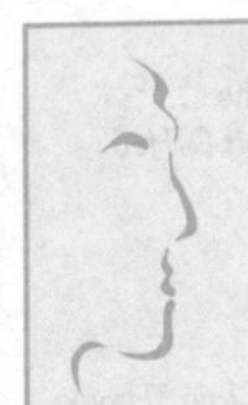

– Can I try this on, please.
(Est-ce que je peux essayer ça?)
– Of course. What size are you?
(Bien sûr. Quelle taille prenez-vous?)
– I take a …
(Je prends du …)
– Here. Try this one.
(Tenez, essayez celle-ci.)

Santé et beauté
Health and beauty

Je voudrais des/un/une …	**I'd like …** *aïd laïk*
soins du visage	**some facial products** *sæm féicheul prodeucts*
manucure	**a manicure** *eu mænikyoueu*
massage	**a massage** *eu mæsa:j*
épilation à la cire	**a waxing** *eu ouæksinng*

Coiffeur Hairdresser's/Hairstylist

L'usage est de laisser un pourboire de 10% au coiffeur et 50p–£1 à la personne qui a fait le shampooing.

Je voudrais prendre un rendez-vous pour …	**I'd like to make an appointment for …** *aïd laïk tou méik eunn eupoïntmeunnt fo:*
Est-ce que je peux venir un peu plus tôt/tard?	**Can you make it a bit earlier/later?** *kæn you: méik it eu bit eu:lieu/léiteu*
Je voudrais …	**I'd like a …** *aïd laïk eu*
coupe et brushing	**cut and blow-dry** *kat ænd blau-draï*
shampooing et mise en plis	**shampoo and set** *chæmpou: ænd sèt*
Je voudrais me faire égaliser les pointes.	**I'd like a trim.** *aïd laïk eu trimm*
Je voudrais …	**I'd like my hair …** *aïd laïk maï hè:*
des mèches	**highlighted** *haïlaïtid*
une permanente	**permed** *peu:md*
Ne les coupez pas trop court.	**Don't cut it too short.** *daunt kat it tou: cho:t*
Pouvez-vous en couper un peu plus …	**Can you cut little more off the …** *cæn you: cæt eu liteul mo: off DTHeu*
derrière/devant	**back/front** *bæk/frannt*
dans le cou/sur les côtés	**neck/sides** *nèk/saïdz*
sur le dessus	**top** *top*
Très bien, merci.	**That's fine, thanks.** *DTHæts faïn THænks*

Articles ménagers Household articles

Je voudrais un/une/du/des ...	**I'd like ...** *aïd laïk*
adaptateur	**an adapter** *eunn eudæpteu*
allumettes	**matches** *mætchiz*
ampoule	**a light bulb** *eu laït balb*
bougies	**some candles** *sam kændeulz*
ciseaux	**scissors** *sizeuz*
film alimentaire	**some cling film** *sam klinng film*
ouvre-bouteilles	**a bottle opener** *eu boteul aupeunneu*
ouvre-boîte	**a can opener** *eu kæn aupeunneu*
papier aluminium	**some aluminium foil** *sam ælyouminnieum foïl*
pinces à linge	**clothes pegs** *klauDTHz pègz*
prise	**a plug** *eu plag*
serviettes en papier	**paper napkins** *péipeu næpkinnz*
tire-bouchon	**a corkscrew** *eu ko:kskrou:*
tournevis	**a screwdriver** *eu skrou:draïveu*

Produits de nettoyage Cleaning products

eau de Javel	**bleach** *bli:tch*
éponge	**sponge** *spanndj*
lavette	**dish cloth** *dich kloTH*
lessive	**washing powder** *ouachinng paoudeu*
liquide vaisselle	**washing up liquid** *ouachinng up likouid*
sacs poubelles	**refuse bags** *rèfyou:ss bægz*

Vaisselle/Couverts Crockery/Cutlery

assiettes	**plates** *pléits*
chopes	**mugs** *magz*
couteaux	**knives** *naïfz*
cuillères	**spoons** *spou:nz*
cuillères à café	**teaspoons** *ti:spou:nz*
fourchettes	**forks** *fo:ks*
tasses	**cups** *kaps*
verres	**glasses** *gla:ssiz*

Bijoutierie Jeweller

Est-ce que je pourrais voir ...?	**Could I see ...?** *koud aï si:*
ceci/cela	**this/that** *DTHis/DTHæt*
C'est en vitrine.	**It's in the window/display cabinet.** *its inn DTHeu ouinndau/displéi kæbineut*
Je voudrais un/une/des ...	**I'd like ...** *aïd laïk*
bague	**a ring** *eu rinng*
boucles d'oreilles	**earrings** *ieurinngz*
bracelet	**a bracelet** *eu bréisslit*
broche	**a brooch** *eu brautch*
chaîne(tte)	**a chain** *eu tchéin*
collier	**a necklace** *eu nèkleuss*
montre	**a watch** *eu ouotch*
pendule	**a clock** *eu klok*
pile	**a battery** *eu bæteuri*
réveil	**an alarm clock** *eunn eula:m klok*

Matériaux Materials

Est-ce de l'argent/de l'or véritable?	**Is this real silver/gold?** *iz DTHis rieul silveu/gauld*
Y a-t-il un certificat?	**Is there a certificate for it?** *iz DTHè: eu seutifikeut fo: it*
Avez-vous quelque chose en ...?	**Have you got anything in ...?** *hæv you: got èniTHinng inn*
acier inoxydable	**stainless steel** *stéinleuss sti:l*
argent	**silver** *silveu*
cristal	**crystal** *kristeul*
cuivre	**copper** *kopeu*
diamant	**diamond** *daïeumeunnd*
émail	**enamel** *inæmeul*
étain	**pewter** *pyou:teu*
or	**gold** *gauld*
perle de culture	**pearl** *peu:l*
plaqué argent	**silver plate** *silveu pléit*
plaqué or	**gold plate** *gauld pléit*
platine	**platinum** *plætineum*
verre taillé	**cut glass** *kat gla:ss*

Marchand de journaux/Tabac
Newsagent/Tobacconist

Les **newsagents**, nombreux en Angleterre, vendent journaux et magazines, mais aussi un nombre impressionnant de confiseries, de barres de chocolat et de chewing-gums. Les cigarettes s'achètent chez le **tobacconist** (bureau de tabac) et dans les kiosques, magasins et distributeurs automatiques.

Quelques quotidiens et magazines en français sont en vente dans les gares, les aéroports et chez les marchands de journaux les plus importants.

Vendez-vous des livres/ journaux en français?	**Do you sell French-language books/ newspapers?** *dou: you: sèl frèntch-længouidj bouks/nyou:zpéipeuz*
Je voudrais un/une/du/des ...	**I'd like ...** *aïd laïk*
allumettes	**some matches** *sam mætchiz*
bonbons	**some sweets** *sam soui:ts*
briquet	**a lighter** *eu laïteu*
carte postale	**a postcard** *eu paustka:d*
carte routière de ...	**a road map of ...** *eu raud mæp euv*
chewing-gum	**some chewing gum** *sam tchou:inng guamm*
cigares	**some cigars** *sam sigua:z*
dictionnaire	**a dictionary** *eu dikcheuneuri*
français-anglais	**French-English** *frèntch-innglich*
enveloppes	**some envelopes** *sam ènveulaups*
guide de/sur ...	**a guidebook of ...** *eu gaïdbouk euv*
journal	**a newspaper** *eu nyou:zpéipeu*
livre	**a book** *eu bouk*
magazine	**a magazine** *eu mægueuzi:n*
paquet de cigarettes	**a packet of cigarettes** *eu pækit euv sigueurèts*
plan de la ville	**a map of the town** *eu mæp euv DTHeu taoun*
papier	**some paper** *sam péipeu*
stylo	**a pen** *eu pèn*
tabac	**some tobacco** *sam teubækau*
tablette de chocolat	**a chocolate bar** *eu tchoklit ba:*
timbres	**some stamps** *sam stæmps*

Photographie Photography

Je cherche un appareil-photo …	**I'm looking for a(n) … camera.** *aïm loukinng fo: eu(n) … kæmeureu*
automatique	**automatic** *o:teumætik*
compact	**compact** *kommpækt*
jetable	**disposable** *dispauzeubeul*
reflex	**SLR** *èss èl a:r*
Je voudrais un/une/du/des …	**I'd like a(n) …** *aïd laïk eu(n)*
couvercle d'objectif	**lens cap** *lènz kæp*
filtre	**filter** *filteu*
flash électronique	**electronic flash** *ilèktronik flæch*
objectif	**lens** *lènz*
pile	**battery** *bæteuri*
sac photo	**camera case** *kæmeureu kéiss*

Développement Film processing

Je voudrais une pellicule … pour cet appareil-photo.	**I'd like a … film for this camera.** *aïd laïk eu … film fo: DTHis kæmeureu*
noir et blanc	**black and white** *blæk ænd ouaït*
couleur	**colour** *kaleu*
24/36 poses	**24/36 exposures** *touènti fo:/THeu:ti siks ikspaujeuz*
Je voudrais faire développer cette pellicule.	**I'd like this film developed.** *aïd laïk DTHis film divèleupt*
Pourriez-vous agrandir ceci?	**Would you enlarge this, please?** *woud you: innla:dj DTHis pli:z*
Combien coûtent … poses?	**How much do … exposures cost?** *haou match dou: … ikspaujeuz kost*
Quand est-ce que les photos seront prêtes?	**When will the photos be ready?** *ouèn ouil DTHeu fautauz bi: rèdi*
Je viens chercher mes photos. Voilà le reçu.	**I'd like to collect my photos. Here's the receipt.** *aïd laïk tou keulèkt maï fautauz. hieuz DTHeu risi:t*

Bureau de poste **Post Office**

Les **Post Offices** (bureaux de poste) sont reconnaissables à leur enseigne rouge et or. Chaque ville a un bureau de poste, voire plusieurs bureaux auxiliaires, mais dans les plus petits villages il peut être installé dans l'épicerie locale. Des distributeurs automatiques placés à l'extérieur des bureaux de poste vendent des **stamps** (timbres).

Les boîtes aux lettres anglaises sont rouges. Deux services sont disponibles: **first class** pour les envois rapides, **second class**, plus économique, pour les envois moins urgents.

Où est le bureau de poste (principal)?	**Where is the (main) post office?** *ouè: iz DTHeu (méin) paust ofiss*
A quelle heure ouvre/ ferme la poste?	**What time does the post office open/ close?** *ouat taïm daz DTHeu paust ofiss aupeunn/klauz*
Est-elle fermée pour le déjeuner?	**Does it close for lunch?** *daz it klauz fo: lanntch*
Où est la boîte aux lettres?	**Where's the postbox?** *ouè:z DTHeu paustboks*
Où est la poste restante?	**Where's the «poste restante»?** *ouè:z DTHeu «poste restante»*
Est-ce qu'il y a du courrier pour moi?	**Is there any post for me?** *iz DTHè: èni paust fo: mi:*

Acheter des timbres **Buying stamps**

Un timbre pour cette carte postale, s.v.p.	**A stamp for this postcard, please.** *eu stæmp fo: DTHis paustka:d pli:z*
Un timbre à … , s.v.p.	**A … stamp, please.** *eu … stæmp pli:z*
Quel est le tarif pour une lettre pour …?	**What's the postage for a letter to …?** *ouats DTheu paustidj fo: eu lèteu tou*
Y a-t-il une machine à affranchir ici?	**Is there a stamp machine here?** *iz DTHè: eu stæmp meuchi:n hieu*

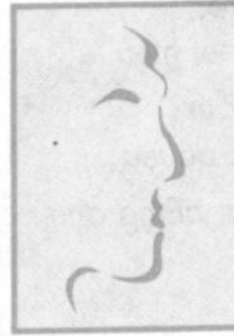

– Good afternoon, I'd like some stamps for these postcards to France please.
(Bonjour, je voudrais des timbres pour ces cartes postales pour la France, s.v.p.)
– *How many? (Combien?)*
– Nine, please. (Neuf, s.v.p.)
– *That's … each. (Ça fait … chacune.)*

Envoyer des colis Sending parcels

Je voudrais envoyer ce paquet …	**I want to send this package …** *aï ouonnt tou sènd DTHis pækidj*
par avion	**by airmail** *baï èeuméil*
en exprès	**express/special delivery** *ikspréss/spècheul diliveuri*
Il contient …	**It contains …** *it keunntéinz*
Combien ça coûte pour envoyer ce colis …	**How much is it to send this package …** *haou match iz it tou sénd DTHis pækidj*
en France/Suisse/Belgique	**to France/Switzerland/Belgium** *tou fra:nss/souitseuleunnd/bèldjeumm*
au Canada	**to Canada** *tou kæneudeu*

Please fill in the customs declaration.	Veuillez remplir la déclaration de douane, s.v.p.
What is the value?	Quelle est la valeur?
What's inside?	Qu'y a-t-il à l'intérieur?

Télécommunications Telecommunications

Je voudrais une Télécarte/carte de téléphone.	**I'd like a phonecard.** *aïd laïk eu faunka:d*
20/40/100 unités.	**20/40/100 units.** *touènti/fo:ti/ouann hanndreud you:nits*
Est-ce qu'il y a un photocopieur?	**Have you got a photocopier?** *hæv you: got eu fautaukopieu*
Je voudrais envoyer un message …	**I'd like to send a message …** *aïd laïk tou sènd eu mèsidj*
par e-mail/fax	**by e-mail/fax** *baï i: méil/fæks*
Quelle est votre adresse e-mail?	**What's your e-mail address?** *ouats yo: i: méil eudrèss*
Est-ce que je peux accéder à l'internet ici ?	**Can I access the Internet here?** *kæn aï æksèss DTHi: innteu:nèt hieu*
C'est combien par heure?	**What are the charges per hour?** *ouat a: DTHeu tcha:djiz peu: aoueu*
Comment est-ce-que j'entre en communication?	**How do I log on?** *haou dou: aï log onn*

Souvenirs Souvenirs

Voici quelques suggestions de souvenirs d'Angleterre.

antiquités	**antiques** *ænti:ks*
biscuits	**biscuits** *bisskits*
lainages	**knitwear** *nitouè:*
marmelade d'oranges	**orange marmalade** *orinndj ma:meuléid*
porcelaine	**china** *tchaïneu*
thé	**tea** *ti:*
tissus	**fabrics** *fæbriks*

Quelques souvenirs à rapporter d'Ecosse:

cornemuse	**bagpipes** *bægpaïps*
kilt	**kilt** *kilt*
tissu écossais	**tartan** *ta:teunn*

Après un séjour en Irlande:

dentelle	**lace** *léiss*
lin	**linen** *lininn*
objets en émail	**enamel** *inæmeul*
objets en jonc/paille	**rushwork** *rachoueu:k*

Après un séjour aux îles Anglo-Normandes:

canne à choux	**cabbage stick** *kæbidj stik*
chandail	**jumper** *djammpeu*
vase en céramique	**ceramic vase** *siræmik va:z*

Cadeaux Gifts

bouteille de vin	**bottle of wine** *boteul euv ouaïn*
boîte de chocolats	**box of chocolates** *boks euv tchoklits*
calendrier	**calendar** *eu kæleunndeu*
carte postale	**postcard** *paustka:d*
guide-souvenir	**souvenir guide** *sou:veunieu gaïd*
porte-clefs	**key ring** *ki: rinng*
torchon	**tea towel** *ti: taoueul*
T-shirt	**T-shirt** *ti: cheu:t*

Musique Music

Je voudrais un/une …	**I'd like a …** *aïd laïk eu*
cassette	**cassette** *kæssèt*
compact disc	**compact disc** *kommpækt disk*
cassette vidéo	**videocassette** *vidiaukæssèt*
disque	**record** *rèko:d*
Quels sont les chanteurs/ groupes anglais populaires?	**Who are the popular native singers/ bands?** *hou: a: DTHeu popyouleu néitiv sinngeuz/bændz*

Si vous envisagez d'acheter une vidéo en souvenir de votre voyage en Angleterre, assurez-vous qu'elle est bien en SECAM. Si elle est en PAL, vous risqueriez de ne pas pouvoir la visionner ou bien de la voir en noir et blanc.

Jouets et jeux Toys and games

Je voudrais un jouet/un jeu …	**I'd like a toy/a game …** *aïd laïk eu toï/eu géim*
pour un garçon	**for a boy** *fo: eu boï*
pour une fille de cinq ans	**for a 5-year-old girl** *fo: eu faïv-yieu auld geu:l*
un seau et une pelle	**a bucket and spade** *eu bakit ænd spéid*
un jeu d'échecs	**a chess set** *eu tchèss sèt*
une poupée	**a doll** *eu dol*
un jeu électronique	**an electronic game** *eunn ilèktronik géim*
un ours en peluche	**a teddy bear** *eu tèdi bè:*

Antiquités Antiques

Cela a quel âge?	**How old is this?** *haou auld iz DTHis*
Avez-vous quelque chose de la période …?	**Have you got anything of the … era?** *hæv you: got èniTHinng euv DTHeu … ieureu*
Pouvez-vous me l'envoyer?	**Can you send it to me?** *kæn you: sènd it tou mi:*
Est-ce que je risque d'avoir des problèmes à la douane?	**Will I have problems with customs?** *ouil aï hæv probleumz ouiDTH kasteumz*
Y a-t-il un certificat d'authenticité?	**Is there a certificate of authenticity?** *iz DTHè: eu seutifikeut eusv o:THèntisiti*

Supermarché / Minimarché
Supermarket/Minimart

Au centre des villes, on trouve des chaînes de supermarchés telles que **Co-op**, **Safeway**, **Sommerfield** ou **Waitrose** et, à la périphérie, généralement un ou plusieurs hypermarchés tels que **Sainsbury's**, **Tesco** ou **Safeway**.

Au supermarché At the supermarket

Excusez-moi. Où se trouve(nt) ...?	**Excuse me. Where can I find ...?** *ikskyou:z mi:. ouè: kæn aï faïnd*
Je paye ça ici ou à la caisse?	**Do I pay for this here or at the checkout?** *dou: aï péi fo: DTHis hieu o: æt DTHeu tchèkaout*
Où sont les chariots/ les paniers?	**Where are the baskets/trolleys?** *ouè: a: DTHeu ba:skits/troliz*
Y a-t-il un/une ... ici?	**Is there a ... here?** *iz DTHè: eu ... hieu*
boulangerie	**bakery** *béikeuri:*
pharmacie	**pharmacy** *fa:meusi*
traiteur	**delicatessen** *dèlikeutèsseunn*
Où puis-je trouver des/du ...?	**Where can I find ...?** *ouè: kæn aï faïnd*
boîtes de conserve	**tinned goods** *tind goudz*
café/thé	**coffee/tea** *kofi:/ti:*
céréales	**cereals** *si:riælz*
produits de toilette	**toileteries** *toïlètri:z*
Pourrais-je avoir un sac, s.v.p.?	**Can I have a bag, please?** *kæn aï hæv eu bæg pli:z*
Je pense qu'il y a une erreur sur le ticket de caisse.	**I think there's a mistake in the receipt.** *aï THink DTHè:z eu mistéik in DTHeu risi:t*

CASH ONLY	argent liquide seulement
HOUSEHOLD GOODS	articles ménagers
FRESH MEAT	boucherie
BREAD AND CAKES	boulangerie–pâtisserie
CANNED FRUIT/VEGETABLES	conserves
FRESH PRODUCE	fruits et légumes
FRESH FISH	poissonnerie
CLEANING PRODUCTS	produits d'entretien
DAIRY PRODUCTS	produits laitiers / crémerie
FROZEN FOODS	surgelés
WINES AND SPIRITS	vins et spiritueux
POULTRY	volaille

Poids et mesures

- **1 pound (lb)** = 453,60 g
  1 kg = 2,2 lb
- **1 gallon** = 4,55 l

1 ounce (oz) = 28,35 g
3.5 oz = 100 g
1 pint = 0,57 l

KEEP REFRIGERATED	à conserver au froid / au réfrigérateur
EAT WITHIN ... DAYS OF OPENING	à consommer dans les ... jours après ouverture
SUITABLE FOR VEGETARIANS	convient aux végétariens
SELL BY ...	date limite de vente ...
MICROWAVEABLE	pour four à micro-ondes
REHEAT BEFORE EATING	réchauffer avant de consommer

– Excuse me, where can I find the cheese?
(Excusez-moi, où puis-je trouver du fromage?)
– Fresh or vacuum-packed?
(Frais ou déjà conditionné?)
– Fresh, please. (Frais, s.v.p.)
– OK. On the second left.
(Bien, la deuxième à gauche.)

Au magasin d'alimentation

At the minimart

Je voudrais de ça/ceci.	**I'd like some of that/this.** *aïd laïk sam euv DTHæt/DTHi:ss*
Celui-ci./Ceux-là.	**This one./Those.** *DTHis ouann/DTHauz*
A gauche/droite.	**To the left/right.** *tou DTHeu lèft/raït*
Là-bas./Ici.	**Over there./Here.** *auveu DTHè:/hieu*
Lequel/laquelle/lesquelles?	**Which one/ones?** *ouitch ouann/ouannz*
C'est tout, merci.	**That's all, thanks.** *DTHæts o:l THænks*
Je voudrais un/une/des ...	**I'd like ...** *aïd laïk*
kilo de pommes	**a kilo of apples** *eu kileu euv æpeulz*
livre de tomates	**half a kilo of tomatoes** *ha:f eu kilo euv teuma:tauz*
cent grammes de fromage	**100 grams of cheese** *ouann hanndreud græmz euv tchi:z*
litre de lait	**a litre of milk** *eu li:teu euv milk*
demi-douzaine d'œufs	**half a dozen eggs** *ha:f eu dazeunn ègz*
... tranches de jambon	**... slices of ham** *... slaïssiz euv hæm*
morceau de gâteau	**a piece of cake** *eu pi:ss euv kéik*
bouteille de vin	**a bottle of wine** *eu boteul euv ouaïn*
brique de lait	**a carton of milk** *eu ka:teunn euv milk*
pot de confiture	**a jar of jam** *eu dja: euv djæm*
paquet de chips	**a packet of crisps** *eu pækit euv krisps*
boîte de cola	**a can of cola** *eu kæn euv kauleu*

– I'd like a pound of this cheese, please.
(Je voudrais une livre de ce fromage, s.v.p.)
– This one? (Celui-ci?)
– Yes, the Cheddar please. (Oui, le Cheddar, s.v.p.)
– Certainly … Anything else? (D'accord … Et avec ça?)
– A carton of coleslaw, please.
(Un pot de coleslaw, s.v.p.)
– Here you are. (Voilà.)

Provisions / Pique-nique Provisions/Picnic

beurre	**butter** *bateu*
fromage	**cheese** *tchi:z*
frites	**chips** *tchips*
biscuits	**biscuits** *biskits*
chips	**crisps** *krisps*
œufs	**eggs** *ègz*
raisin	**grapes** *gréips*
glace	**ice cream** *aïsskri:m*
café soluble	**instant coffee** *innsteunnt kofi*
pain	**loaf of bread** *lauf euv brèd*
margarine	**margarine** *ma:djeuri:n*
lait	**milk** *milk*
petits pains	**rolls** *raulz*
saucisses	**sausages** *sossidjiz*
pack de six bières	**six-pack of beer** *siks-pæk euv bieu*
boissons gazeuses	**soft drinks** *soft drinngks*
sachets de thé	**tea bags** *ti: bægz*
vin en boîte	**winebox** *ouaïnboks*
gâteau	**cake** *kéik*

Fish and Chips: poisson frit et frites sont enveloppés dans un cornet en papier, ce qui permet d'aller manger dans l'endroit de son choix. Une manière très économique de se restaurer.

Sandwichs: une large sélection est proposée dans les **sandwich shops**, à manger sur place (**to eat in**) ou à emporter (**to take away**), et dans les magasins tels que Marks and Spencer, Sainsbury's ou Tesco. On a la plupart du temps le choix entre des tranches de **white bread** (pain de mie blanc) ou de **brown bread** (pain bis).

VIANDES ➤ 46; LEGUMES ➤ 47

Urgences/Santé

Police Police

Pour tout problème, composez le ☎ 999, numéro gratuit qui est commun à la police, aux pompiers et aux ambulances. Les policiers anglais portent un uniforme bleu foncé et un casque, et ne sont pas armés. Les agents de la circulation (**traffic wardens**) sont reconnaissables à leur uniforme noir.

Où est le commissariat de police le plus proche? — **Where's the nearest police station?** *ouè:z DTHeu nieurist peuli:ss stéicheunn*

Est-ce qu'il y a quelqu'un ici qui parle français? — **Does anyone here speak French?** *daz èniouann hieu spi:k frèntch*

Je veux signaler … — **I want to report …** *aï ouonnt tou ripo:t*

un accident/une attaque — **an accident/an attack** *eunn æksideunnt/eunn eutæk*

une agression/un viol — **a mugging/a rape** *eu maguinng/eu réip*

Mon enfant a disparu. — **My child is missing.** *maï tchaïld iz missinng*

Voilà sa photo. — **Here's a photo of him/her.** *hieuz eu fautau euv himm/heu:*

Quelqu'un me suit. — **Someone's following me.** *samouannz folauinng mi:*

Il me faut un avocat qui parle français. — **I need a French-speaking lawyer.** *aï ni:d eu frèntch-spi:kinng lo:yeu*

Je dois téléphoner à quelqu'un. — **I need to make a phone call.** *aï ni:d tou méik eu faun ko:l*

Je dois contacter le consulat … — **I need to contact the … Consulate.** *aï ni:d tou konntækt DTHeu … konnsyouleut*

français/belge — **French/Belgian** *frèntch/bèldjeunn*

suisse/canadien — **Swiss/Canadian** *souiss/keunéidieunn*

Pertes / Vol Lost property/Theft

Je veux signaler un cambriolage.	**I want to report a theft/break-in.** *aï ouonnt tou ripo:t eu THèft/bréik inn*
J'ai été volé/agressé.	**I've been robbed/mugged.** *aïv bi:n robd/magd*
J'ai perdu ...	**I've lost my ...** *aïv lost maï*
On m'a volé mon/ma/mes ...	**My ... has been stolen.** *maï ... hæz bi:n stauleunn*
vélo	**bicycle** *baïsikeul*
appareil-photo	**camera** *kæmeureu*
voiture (de location)	**(hire) car** *(hi:eu) ka:*
cartes de crédit	**credit cards** *krèdit ka:dz*
sac à main	**handbag** *hændbæg*
argent	**money** *mani*
passeport	**passport** *pa:sspo:t*
porte-monnaie	**purse** *peu:ss*
billet	**ticket** *tikit*
portefeuille	**wallet** *ouolit*
montre	**watch** *ouotch*
Que dois-je faire?	**What shall I do?** *ouat chæl aï dou:*
Il me faut un certificat de police pour ma compagnie d'assurances.	**I need a police report for my insurance claim** *aï ni:d eu peuli:ss ripo:t fo: maï innchoueureunns kléim*

What's missing?	Qu'est-ce qui (vous) manque?
When did it happen?	Quand cela s'est-il passé?
Where are you staying?	Où logez-vous?
Where was it taken from?	Où a-t-il/elle été volé(e)?
Where were you at the time?	Où étiez-vous à ce moment-là?
We're getting an interpreter for you.	Nous allons vous procurer un interprète.
We'll look into the matter.	Nous allons faire une enquête.
Could you fill in this form?	Pouvez-vous remplir ce formulaire, s.v.p.?

Médecin/Généralités
Doctor/General

Procurez-vous avant le départ un formulaire E111 auprès de votre caisse de Sécurité sociale. Tous les visiteurs membres de l'Union européenne ont droit aux soins gratuits en Grande-Bretagne en cas d'accident ou de nécessité, mais assurez-vous avant que l'hôpital ou le médecin dépend bien du **NHS** (*National Health Service*).

Où est-ce que je peux trouver un médecin/dentiste?	**Where can I find a doctor/dentist?** *ouè: kæn aï faïnd eu dokteu/dèntist*
Où y a-t-il un médecin qui parle français?	**Where's there a doctor who speaks French?** *ouè:z DTHè: eu dokteu hou: spi:ks frèntch*
Quelles sont les heures de consultation au cabinet?	**What are the surgery hours?** *ouat a: DTHeu seu:djeuri aoueuz*
Est-ce que le médecin pourrait venir me voir?	**Could the doctor come to see me here?** *koud DTHeu dokteu kam tou si: mi: hieu*
Est-ce que je peux prendre rendez-vous pour ...?	**Can I make an appointment for ...?** *kæn aï méik eunn eupoïntmeunnt fo:*
aujourd'hui/demain	**today/tomorrow** *teudéi/teumorau*
le plus tôt possible	**as soon as possible** *æz sou:n æz posseubeul*
C'est urgent.	**It's urgent.** *its eu:djeunnt*
J'ai rendez-vous avec docteur ...	**I've got an appointment with Doctor ...** *aïv got eunn eupoïntmeunnt ouiDTH dokteu*
Mon/Ma ... s'est fait mal/est blessé(e).	**My ... is hurt/injured.** *maï ... iz heu:t/inndjeud*
mari/femme	**husband/wife** *hazbeunnd/ouaïf*
fils/fille	**son/daughter** *sann/do:teu*
ami(e)	**friend** *frènd*
bébé	**baby** *béibi*
Il/Elle est ...	**He/She is ...** *hi:/chi: iz*
sans connaissance	**unconscious** *annkonncheuss*
(grièvement) blessé(e)	**(seriously) injured** *(sieurieussli) inndjeud*
Il/Elle saigne (beaucoup).	**He/She is bleeding (heavily).** *hi:/chi: iz bli:dinng (hèvili)*
J'ai mal au/à la/à l' ...	**My ... hurts.** *maï ... heu:ts*

HEURES ➤ 220; DATES ➤ 218

Symptômes Symptoms

Je suis malade depuis … jours.	**I've been feeling ill for … days.** *aïv bi:n fi:linng il fo: … déiz*
Je vais m'évanouir.	**I feel faint.** *aï fi:l féint*
J'ai de la fièvre.	**I feel feverish.** *aï fi:l fi:veurich*
J'ai vomi.	**I've been vomiting.** *aïv bi:n vommitinng*
J'ai la diarrhée.	**I've got diarrhoea.** *aïv got daïeuria*
J'ai mal ici.	**It hurts here.** *it heu:ts hieu*
J'ai un/une/des …	**I've got …** *aïv got*
crampes	**cramps** *kræmps*
insolation	**sunstroke** *sannstrauk*
mal à l'estomac	**a stomachache** *eu stameuk éik*
mal à la gorge	**a sore throat** *eu so: THrau*
mal à l'oreille	**an earache** *eunn ieuréik*
mal à la tête	**a headache** *eu hèdéik*
mal au dos	**a backache** *eu bækéik*
rhume	**a cold** *eu kauld*
torticolis	**a stiff neck** *eu stif nèk*

Problèmes médicaux Health conditions

J'ai de l'arthrite.	**I've got arthritis.** *aïv got a:THraïtis*
J'ai de l'asthme.	**I've got asthma.** *aïv got æssmeu*
Je suis …	**I'm …** *aïm*
sourd	**deaf** *dèf*
diabétique	**diabetic** *daïeubètik*
épileptique	**epileptic** *èpilèptik*
handicapé(e)	**handicapped** *hændikæpt*
enceinte (de … mois)	**(… months) pregnant** *(… mannTHs) prègneunnt*
Je souffre du cœur.	**I've got a heart condition.** *aïv got eu ha:t keunndicheunn*
J'ai de l'hypertension.	**I've got high blood pressure.** *aïv got haï blad prècheu*
J'ai eu une crise cardiaque il y a … ans.	**I had a heart attack … years ago.** *aï hæd eu ha:t eutæk … yieuz eugau*

PARTIES DU CORPS ➤ 166

Questions du docteur Doctor's inquiries

How long have you been feeling like this?	Depuis combien de temps vous sentez-vous comme ça?
Is this the first time you've had this?	Est-ce que c'est la première fois que vous avez ça?
Are you taking any other medicines?	Est-ce que vous prenez d'autres médicaments?
Are you allergic to anything?	Est-ce que vous êtes allergique à quelque chose?
Have you been vaccinated against tetanus?	Est-ce que vous avez été vacciné(e) contre le tétanos?
Have you lost your appetite?	Est-ce que vous avez perdu l'appétit?

Examen Examination

I'll take your temperature/ blood pressure.	Je vais prendre votre température/ tension.
Roll up your sleeve, please.	Remontez votre manche, s.v.p.
Please undress to the waist.	Déshabillez-vous jusqu'à la ceinture, s.v.p.
Please lie down.	Allongez-vous, s.v.p.
Open your mouth.	Ouvrez la bouche.
Breathe deeply.	Respirez profondément.
Cough please.	Toussez, s.v.p.
Where does it hurt?	Où est-ce que vous avez mal?
Does it hurt here?	Est-ce que ça vous fait mal ici?

Diagnostic Diagnosis

I want you to have an x-ray.	Il faut vous faire une radio.
I want a specimen of your blood/stools/urine.	J'ai besoin d'une prise de sang/d'un examen des selles/d'une analyse d'urine.
I want you to see a specialist.	Je veux que vous alliez voir un spécialiste.
I want you to go to the hospital.	Je veux vous hospitaliser.
It's broken/sprained.	C'est cassé/foulé.
It's dislocated/torn.	C'est disloqué/déchiré.

Traitement Treatment

I'll give you ...	Je vais vous donner...
an antiseptic	un antiseptique
a pain killer	un analgésique
I'm going to prescribe	Je vais vous prescrire
a course of antibiotics/ some suppositories.	des antibiotiques/ des suppositoires.
Are you allergic to any medicines?	Est-ce que vous êtes allergique à certains médicaments?
Take one pill every ... hours	Prendre une pilule/un comprimé toutes les ... heures
... times a day	... fois par jour
before/after each meal	avant/après les repas
in case of pain	en cas de douleurs
for ... days	pendant ... jours
Consult a doctor when you get home.	Consultez un médecin à votre retour.

Parties du corps Parts of the body

amygdales	**tonsils** *tonnseulz*
appendice	**appendix** *eupèndiks*
articulation	**joint** *djoïnt*
côte	**rib** *rib*
cou	**neck** *nèk*
cœur	**heart** *ha:t*
cuisse	**thigh** *THaï*
épaule	**shoulder** *chauldeu*
estomac	**stomach** *stameuk*
foie	**liver** *liveu*
genou	**knee** *ni:*
glande	**gland** *glænd*
gorge	**throat** *THrau:tt*
langue	**tongue** *tanng*
lèvre	**lip** *lip*
mâchoire	**jaw** *djo:*
muscle	**muscle** *masseul*
os	**bone** *baun*
peau	**skin** *skinn*
poitrine	**chest** *tchèst*
rein	**kidney** *kidni*
sein	**breast** *brèst*
veine	**vein** *véinn*
vessie	**bladder** *blædeu*

Gynécologue Gynaecologist

J'ai …	**I have …** *aï hæv*
des douleurs abdominales	**abdominal pains** *æbdomineul péinnz*
des règles douloureuses	**period pains** *pieurieud péinnz*
une infection vaginale	**a vaginal infection** *eu veudjaïneul innfèkcheunn*
Je n'ai pas eu mes règles depuis … mois.	**I haven't had my period for … months.** *aï hæveunnt hæd maï pi:rieud fo: … mannTHs*
Je prends la pilule.	**I'm on the Pill.** *aïm onn DTHeu pil*

Hôpital Hospital

Prévenez ma famille, s.v.p.	**Please notify my family.** *pli:z nautifaï maï fæmili*
J'ai mal./Je souffre.	**I'm in pain.** *aïm inn péinn*
Je ne peux pas manger/dormir.	**I can't eat/sleep.** *aï ka:nt i:t/sli:p*
Quand est-ce que le docteur passera?	**When will the doctor come?** *ouèn ouil DTHeu dokteu kam*
Dans quelle chambre est …?	**Which ward is … in?** *ouitch ouo:d iz … inn*
Je viens voir …	**I'm visiting …** *aïm vizitinng*

Opticien Optician

Je suis myope/hypermétrope.	**I'm short-sighted/long-sighted.** *aïm cho:t saïtid/lonng saïtid*
J'ai perdu …	**I've lost …** *aïv lost*
une de mes lentilles de contact	**one of my contact lenses** *ouann euv maï konntækt lènziz*
mes lunettes	**my glasses** *maï gla:ssiz*
un verre	**a lens** *eu lènz*
Pourriez-vous me donner un(e) paire de rechange?	**Could you give me a replacement?** *koud you: guiv mi: eu ripléissmeunnt*

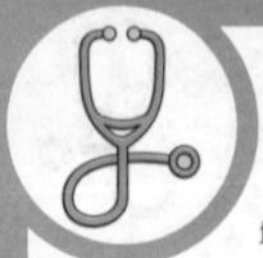

Dentiste Dentist

J'ai mal aux dents.	**I've got toothache.** *aïv got tou:THéik*
Cette dent me fait mal.	**This tooth hurts.** *DTHis tou:TH heu:ts*
J'ai perdu un plombage/ une dent.	**I've lost a filling/tooth.** *aïv lost eu filinng/tou:TH*
Est-ce que vous pouvez réparer ce dentier?	**Can you repair this denture?** *kæn you: ripè: DTHis dèntcheu*
Je ne veux pas que vous me l'arrachiez.	**I don't want it extracted.** *aï daunt ouonnt it ikstrækteud*

I'm going to give you an injection/a local anesthetic.	Je vais vous faire une piqûre/une anesthésie locale.
You need a filling/crown.	Il faut vous faire un plombage/ vous mettre une couronne.
I'll have to take it out.	Je dois l'arracher.
I can only fix it temporarily.	Je ne peux vous donner qu'un traitement provisoire.
Don't eat anything for … hours.	Ne mangez rien pendant … heures.

Paiement/Assurance Payment/Insurance

Combien je vous dois?	**How much do I owe you?** *haou match dou: aï au you:*
J'ai une assurance.	**I have insurance.** *aï hæv innchou:reunns*
Puis-je avoir un reçu pour mon assurance maladie?	**Can I have a receipt for my health insurance?** *kæn aï hæv eu risi:t fo: maï hèlTH innchou:reunns*
Pouvez-vous remplir cette feuille d'assurance maladie?	**Would you fill in this health insurance form, please?** *woud you fil inn DTHis hèlTH innchoureunns fo:m pli:z*
Est-ce que vous avez …?	**Have you got …?** *hæv you: got*
un formulaire E111/une assurance maladie	**Form E111/health insurance** *fo:m i: ouann ilèveunn/hèlTH innchoureunns*

Lexique
Français–Anglais

A-Z

Vous retrouverez la plupart des termes de ce lexique dans les pages où le mot apparaît dans une expression entière. Les notes ci-dessous vous donneront un aperçu supplémentaire de quelques règles principales de la grammaire anglaise.

Noms et adjectifs

Il n'y a pas de genres en anglais et le pluriel de la plupart des noms se forme par l'ajout de **-(e)s** au singulier:

sing.	*plur.*
book	**books**
dress	**dresses**

Les adjectifs se placent normalement avant le nom:
a large black bag un grand sac noir

(L'article ➤ 15; Pronoms ➤ 16.)

Verbes

Pour la plupart des verbes, l'infinitif est utilisé pour toutes les personnes du présent; on ajoute simplement **-(e)s** à la 3e personne du singulier (il/elle/on). Les verbes **to be** (être) et **to have** (avoir) sont irréguliers (les formes contractées sont entre paranthèses):

	(to) like *(aimer)*	**(to) be** *(être)*	**(to) have** *(avoir)*
I *(je)*	**like**	**am (I'm)**	**have (I've)**
you *(tu/vous)*	**like**	**are (you're)**	**have (you've)**
he/she/it *(il/elle/on)*	**likes**	**is (he's,** etc.**)**	**has (he's,** etc.**)**
we *(nous)*	**like**	**are (we're)**	**have (we've)**
they *(ils/elles)*	**like**	**are (they're)**	**have (they've)**

La négation se forme au moyen de l'auxiliaire **do/does** + **not** + infinitif:

I don't like it.	Je ne l'aime pas.
He doesn't go to school.	Il ne va pas à l'école.

Le temps présent continu n'existe pas en français. On le forme avec le verbe **to be** (être) + le participe présent (**-ing**). Il indique une action qui se passe ou un état qui est, au moment précis où on parle:

Where are you going?	Où allez-vous?
I'm writing a letter.	J'écris une lettre.
She's not coming today.	Elle ne vient pas aujourd'hui.

(Questions ➤ 12.)

A-Z

A **à** *(+ heure)* at 13; **à 2 km de ...** two kilometres from ... 88

à bientôt see you soon 126
à l'avance in advance 21
à l'étranger abroad
à l'extérieur outside
à l'intérieur inside
à plat *(batterie)* dead 88
abbaye abbey 99
abîmé damaged 71
accélérateur accelerator 91
accepter accepting 125
accessible accessible 100; **est-ce ~ aux handicapés?** is it accessible to the disabled?
acceuil reception (desk)
accident accident 92, 161
accompagnements side order 38
accompagner accompany 65
acheter buy
acide acid/sour 41
acier inoxydable stainless steel 150
acteur/actrice actor/actress
addition: l'addition, s.v.p.! the bill, please! 42
adore: j'adore I love 119
adresse address 84, 93, 126, 139
adultes adults 81, 100
aéroport airport 84, 96
affaires things 27; **pour ~** on business 66
âge: quel ~ ...? how old ...?
agence de voyage tour operator 26
agent immobilier estate agent
agrandir enlarge 152
agréable pleasant 14
agressé mugged 162
agression mugging 161
aide help 94
aider help 18, 92, 224
aimable friendly
aimer like 125; **j'aimerais** I'd like; **je t'aime** I love you; **aimez-vous...?** do you like ...? 125
alarme d'incendie fire alarm
alcool alcohol 49
aliments pour bébé baby food 143
allaiter feed 39
allée aisle 74
aller go 18; *(en voiture)* head 83; *(vêtements)* fit 147; **~ danser** go dancing 124; **~ faire des courses** go shopping 124; **~ manger** go out for a meal 124; **~ prendre un verre** go for a drink 124; **~ retour** return 68; **allons-nous en!** go: let's go!; **allez-vous en!** go away; **pour ~ à ...?** how do I get to ...? 94
aller-simple single 68, 74, 79
aller-retour return 74, 79, 81
allergie allergy
allergique (à) allergic (to) 165, 166
alliance wedding ring
allumer turn on 25
allumettes matches 31, 151
alors then 13
alternateur alternator 91
ambassade embassy
ambassadeur ambassador
ambulance ambulance 92
amende fine 93
amener bring 125

A-Z

assez enough 15
assiette plate 39, 149
assurance insurance 86, 162; **~ de tiers** third party insurance; **~ tous risques** full insurance 86; **compagnie d'~** insurance company 93; **feuille d'~ maladie** insurance form 168
asthme asthma 164
athlétisme athletics 115
attaque attack 161
attendez! wait! 98
attraper *(autobus)* catch, to
au moins at least
au revoir good bye 10, 224; *(au téléphone)* bye 128
auberge hostel 20; **~ de jeunesse** youth hostel 20, 29
aucun/aucune nothing/none 15, 16
aujourd'hui today 89, 124, 163, 218
aussi also
auteur playwright 110
auto-stop hitchhiking 83
autocar coach 78
automne autumn 219
autoroute motorway 85, 92
autour de around
autre chose something else
avance: en ~ early 221
avant before 13; by 221
avec with
avion plane 68, 123; **par ~** by air mail 154
avocat lawyer 161
avance: en ~ early 221
avoir have 18; **avez-vous...?** have you got ...? 129
avril April 218

B

bagages luggage 32, 67, 71; **~ à main** hand luggage 69
bagarre fight
bague ring 150
baigner: se baigner swim 117
bain bath
baisser *(chauffage)* turn down
balcon balcony 29
ballet ballet 108, 111
bandage bandage 142
banque bank 130, 138
bar bar 26, 112
barbe beard
barque rowing boat
bas low 122; **en ~** downstairs 12
bas *(vêtement)* stocking 145
bateau boat 81
bâtiment building
bâtons *(de ski)* poles 117
batterie battery 88, 91
bavoir bib
beau beautiful 14, 101; nice 14
beaucoup a lot 15; **~ plus** a lot more
bébé baby 143, 163
beige beige 144
belge Belgian 161
Belgique Belgium 119
béquille kick stand 82
béquilles crutches
besoin: j'ai ~ I need

bêtises rubbish 19
beurre butter 38, 43, 160
biberon baby's bottle
bibliothèque library 131
bicyclette bicycle 83
bidet bidet
bidon d'eau water bottle 82
bien sûr of course 19
bientôt soon 13
bienvenue à welcome to ...
bière beer 40, 49, 160
bigoudis curlers
bijouterie jeweller 130
bijoutier jeweller 150
billet ticket 74, 79, 100, 162; *(d'entrée)* ticket 109; **~ de train** train ticket 75; **~ d'avion** air ticket; **~ pour la journée** day ticket
biscuits biscuits 160
bizarre bizarre 101
blaireau *(à raser)* shaving brush
blanc white 144
blessé *(adj)* hurt 92; injured 163; **il est grièvement ~** he's seriously injured 92
blessés *(n)* injured 92
blessure injury 92; wound 141
bleu blue 144
bleu *(ecchymose)* bruise 141
blouson imperméable waterproof jacket 146
boire drink
bois wood 107; **~ de chauffage** firewood
boisson drink 41; 49, 51; **~ non alcoolisée** soft drink 110; **~ gazeuse** soft drink 160
boîte box 110; **~ de cola** can of cola 159; **~ à fusibles** fuse box 28; **~ aux lettres** letterbox; postbox 153; **~ de chocolats** box of chocolates 155; **~ de nuit** night club; **~ de vitesses** gearbox 91; **~ de conserve** tinned food 157
bon good 14; **~ anniversaire!** happy birthday! 219; **~ appétit** enjoy your meal 37; **~ marché** cheap 14, 134; inexpensive 35
bonbons sweets 151
bonjour hello 10, 224; *(le matin)* good morning 10, 224
bonne année! happy new year! 219
bonne chance! good luck! 219
bonne nuit good night 10
bonsoir good evening 10, 224
bottes boots 146
bouche mouth 165, 166
bouché blocked 25
boucher butcher 130
boucherie butcher shop
bouchon de réservoir *(d'essence)* petrol cap 90
boucles d'oreilles earrings 150
bouée de sauvetage lifebelt
bougie candle 149
bougies spark plugs
bouilli boiled
bouilloire kettle 29
bouillon stock 44

A-Z

bouillote water bottle
boulangerie bakery 130, 157
boulettes meat ball 47
bouteille bottle 37, 40, 159; **~ de gaz** gas bottle 28; **~ de vin** bottle of wine 155; **~ thermos** thermos flask
bouton button
bracelet bracelet 150
branchement électrique power point 30
bras arm 166
brillant *(photos)* glossy finish
brique (de lait) carton (of milk) 159
briquet lighter 151
broderie embroidery
bronchite bronchitis
bronzage tan
bronzer sunbathe, to
brosse brush; **~ à cheveux** hair brush; **~ à dents** toothbrush
brouillard: il y a du ~ it is foggy 122
brûlant hot
brûlure burn 141
bruyant noisy 14, 24
bureau office; **~ de change** bureau de change 70, 73, 138; **~ de poste** post office 96, 131, 153; **~ de tabac** tobacconist 131; **~ des objest trouvés** lost property office 73; **~ des renseignements** information desk 73; **~ des réservations** reservations desk 109
bus bus 17, 78, 123

C

c'est it is 14; **c'est ...?** is it ...? 17
ça va okay 19
cabine cabin; **~ pour deux** double cabin 81; **~ pour une personne** single cabin 81; **~ téléphonique** telephone box 127; **~ d'essayage** fitting room 147
cabinet médical surgery 163
câble cable; **~ de changement de vitesse** gear cable 82; **~ de frein** brake cable 82; **câbles de secours** *(pour batterie)* jump leads
cadeau gift 67
cadenas padlock
cadre frame 82
cafard cockroach
café café 35; *(boisson)* coffee 40, 51, 157; **~ soluble** instant coffee 160
caisse cash desk 132; checkout 157
caleçon leggings 145
calendrier calendar 155
calme quiet 126
cambriolage break-in 162
camion lorry
campagne countryside 106
camper camp
camping campsite 30, 123
Canada Canada 119
canadien Canadian 161
cancer cancer
canif pocket knife
canne à pêche fishing rod
canot: boat; **~ automobile** motorboat 117; **~ de sauvetage** life boat 81

capot bonnet 90
carafe carafe 37
caravane caravan 30, 81
carburant fuel 86
carburateur carburettor 91
cardiaque *(problèmes)* heart condition 164
carnet de chèque cheque book
carré square 134
carrefour cross-roads 95
carte carte 94, 99, 106, 121; **~ bancaire** bank card 139; **~ bancaire de guarantie** cheque guarantee card; **~ d'abonnement** season ticket; **~ d'étudiant** student card 29; **~ d'identité** identification 139; **~ de crédit** credit card 17, 42, 109, 136, 162; **~ de téléphone** phone card 127; **~ des vins** wine list 37; **~ grise** vehicle registration document 93; **~ postale** postcard 151, 155; **~ routière** road map 151
cascade waterfall 107
casque helmet 82; **~ à vélo** cycle helmet
cassé broken 25, 137, 165
casse-croûte snacks
casser broken down 28
casserole saucepan 29
cassette cassette 156; **~ vidéo** videocassette 156
cathédrale cathedral 99
catholique Catholic 105
cause: à ~ de because of 15
ceinture belt 145; **~ de sécurité** seat belt 90
cela that
célèbre famous
célibataire single 120
celui-ci this one 16
celui-là that one 16
cendrier ashtray 39
cent hundred 217
centre centre 83; **~ commercial** shopping centre 130
centre-ville centre of town 21, 99
céramique ceramics
certificat certificate 150; **~ d'assurance** insurance certificate 93; **~ d'authenticité** certificate of authenticity 156; **~ de police** police report 162
chaîne chain 82; **~ de montagnes** mountain range 107
chaise chair; **~ haute** *(pour bébé)* high chair 39; **~ longue** deck chair 117; **~ pliante** folding chair
chambre room 21, 24, 25, 27; bedroom 29; **~ à air** inner tube 82; **~ à un lit** single room 21; **~ d'hôte** bed and breakfast 20; **~ pour 2 personnes** double room 21
champ field 107; **~ de bataille** battle site 99
champignons mushrooms
changer change 39, 68, 75, 79, 138
channel: the (English) Channel la Manche
chanteur singer 156
chapeau hat 145
chaque every 13; **~ jour** every day
charbon charcoal 31
charcutier delicatessen 130

A-Z

chariot *(supermarché)* trolley 157; **~ à bagages** luggage trolley 71
château castle 99
chaud warm 14; hot 122; **plus ~** warmer 24
chaudière boiler 29
chauffage heater 91; heating 25; **~ central** central heating
chauffe-eau water heater 28
chauffeur driver
chaussettes socks 145
chaussures shoes 116, 146; **~ de marche** walking boots 146; **~ de ski** ski boots 117; **~ de sport** trainers 146; **~ tennis** sneakers
chef *(d'une groupe)* leader; **~ d'orchestre** conductor 111
chemise shirt 145
chemisier shirt 145
chèque cheque; **~ de voyage** traveller's cheques 136; **carnet de ~s** cheque book
cher expensive 14, 134
chercher look for 18, 133
cheval horse
chewing-gum chewing gum 151
chien dog
chinois Chinese 35
choc (électrique) (electric) shock
chocolat chocolate; **~ chaud** hot chocolate 51
chope mug 149
chose: quelque ~ something
choux cabbage 47
choux-fleur cauliflower 47
cigares cigars 151
cimetière cemetery 99
cinéma cinema 96, 110
cinq five 15, 216
cinquième fifth 217
cintre hanger 27
cirage shoe polish
circulation traffic 15
ciseaux scissors 149
citron lemon 38
clair light 14, 134, 144
classe class; **~ affaires** business class 68; **~ économique** economy class 68; **première ~** first class 68
clé key 27, 28; **~ de contact** ignition key 90
clignotants indicators 82, 90
climatisation air conditioning 22, 25, 86
club *(de golf)* club 116
club sportif sports club 115
code code; *(téléphone)* dialling code 127
codes *(voiture)* dipped beam 86
cœur heart 166
coffre boot 90
coffre-fort safe 27
coiffeur hairdresser 131; hairstylist 148
coin: au ~ on the corner 95
col mountain pass 107
collant tights 145
collier necklace 150
colline hill 107
colonne column; **~ de direction** steering column 91; **~ vertébrale** spine

A-Z

côte à côte adjoining 22

côté: à ~ de next to 95

coton cotton 146; *(hydophile)* cotton wool 142

cou neck 166

couche *(pour bébé)* nappy 143

couchette berth 77

couleur colour 152

coup d'œil: je jette juste un ~ I'm just looking

coup de soleil sunburn 142

coupe cut; **~ de cheveux** haircut; **~ et brushing** cut and blow-dry 148

coupure cut 141; **~ de courant** power cut

cour de récréation playground 113

courant draught

couronne *(dentaire)* crown 168

courrier post 27, 153; **~ en recommandé** registered mail

courroie de ventilateur fan belt 91

cours de langue language course

course race

court short 147, 148

cousin cousin

couteau knife 39, 149

coûter cost 84

couverts cutlery 29, 149

couverture blanket 27

couvre-chaîne chain guard 82

crampes cramps 164

crèche creche

crédit credit

crème cream; **~ à raser** shaving cream; **~ antiseptique** antiseptic cream 142; **~ solaire** suntan cream 143

crevaison puncture 88

crevé puncture 83

crise cardiaque heart attack 164

cristal crystal 150

croire believe

croisière cruise; **~ sur rivière** river cruise 81

croix cross

cuillère spoon 39, 149; **~ à café** teaspoons 149

cuir leather 146

cuisine kitchen 29; food 119

cuisinière cooker 28, 29

cuisse thigh 166

cuivre copper 150

culte service 105

cure-pipe pipe cleaners

cyclisme cycling 115

D

d'accord okay 10; **je suis ~** I agree

d'habitude usually 122

d'occasion second-hand

dangereux dangerous

dans in 12; **~ ... jours** in ... days 89; **~ ... minutes** in ... minutes 13

danse dance 111; **~ contemporaine** contemporary dance 111

danser dance 111

date date; **~ de naissance** date of birth 23

de … à … from … to … 13, 221
de temps en temps occasionally
décalage horaire: j'ai le ~ I'm jet lagged
décembre December 218
déchiré torn 165
décision decision 24, 135
déclaration de douane customs declaration 154
déclarer *(marchandises)* declare 67
décliner decline 125
décoller take off
décongeler defrost
dedans in 37
défaut: il y a un ~ this is faulty
degrés *(température)* degrees
dégoûtant revolting 14
déjeuner lunch 13, 34, 98, 124
délicieux delicious 14
demain tomorrow 13, 84, 89, 122, 124, 163, 218
demande d'indemnité insurance claim
démarrer *(voiture)* start 88
démarreur starter motor 91
demi: ~ heure half an hour 217, 221; **~-douzaine** half a dozen 159; **~-pension** half board 24
démodé old-fashioned 14
dent tooth 168
dentelle lace 146
dentier denture 168
dentifrice toothpaste 143
dentiste dentist 131, 163, 168
dépanneuse breakdown truck 88
départ checking out 32; *(avion)* departure 69
dépenser spend
déplacer move 92
dépliant brochure
déposer drop off 83
depuis combien de temps? how long 123
déranger mind 77, 126; **ne pas ~** don't disturb
dernier last 75, 218
derrière behind 95, 148
dés dice
désagréable unpleasant 14
descendre *(du bus/du train)* get off 79
désolé! sorry! 10
dessert dessert 48
destination destination
détaillé itemized 32
détails details
détergent detergent
deux two 15, 216; **~ fois** twice 76, 217
deuxième second 217
devant in front of 12, 148
devises *(étrangères)* currency 138
devoir need to 18; **je dois** I must
diabète diabetes
diabétique diabetic 39, 164
diamant diamond 150
diarrhée diarrhoea 142, 164
dictionnaire dictionary 151
diesel diesel
difficile difficult 14; *(physiquement)* tough 106
dimanche Sunday 218
dîner dinner 34; have dinner 124
dire say 11; **comment dites-vous?** how do you say …?

A-Z

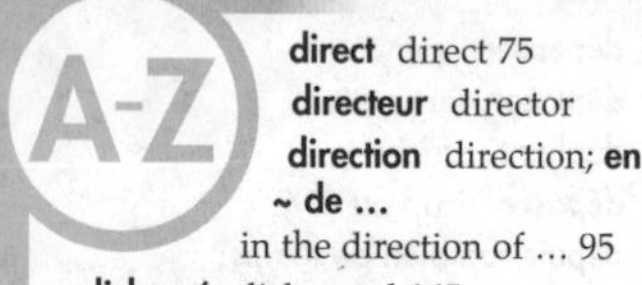

direct direct 75
directeur director
direction direction; **en ~ de ...** in the direction of ... 95
disloqué dislocated 165
disparaître/disparu go/gone missing 161
disponibilité availability 108
disque record 156; **~ compact** compact disc
distributeur distributor 91; **~ automatique de billets** cash machine 139
divorcé divorced 120
dix ten 216
dix-huit eighteen 216
dix-neuf nineteen 216
dix-sept seventeen 216
docteur doctor 92
doigt finger 166
dois: combien je vous ~ ? how much do I owe?
donner give 18; **~ à** give to
dormir sleep 167
dos back 166
douane customs 67, 156
doublé *(film)* dubbed 110
douche shower 21, 26
douleurs abdominales abdominal pains 167
douzaine dozen 217
douze twelve 216
draps sheets pl 28
droite right 12, 76, 95
dur hard 31, 41
durer last, to
durite radiator hose 91
duvet duvet
dynamo generator 82

E

e-mail e-mail 154
eau water; **~ de Javel** bleach 149; **~ distillée** distilled water; **~ minérale** mineral water 51; **~ potable** drinking water 30
échanger change 137
écharpe scarf 145
échecs chess 121
échelle ladder
écossais Scottish
Ecosse Scotland
écrire write 11
édulcorant sweetener 38
effondrer: il s'est effondré collapse: he's collapsed
également equally 17
église church 96, 99, 105
égratignure graze 141
élevé high 122
émail enamel 150
embarquement boarding 70, 77
embouteillage traffic jam
embrasser kiss 126
embrayage clutch 82, 91
emmener take to 84
emplacement location 95; *(camping)* spot 31
emporter take away 40
emprunter: est-ce que je peux emprunter votre ...? may I borrow your ...?
en in 12
encaisser cash 138

excuses apologies 10
excusez-moi! excuse me! 10, 18, 94, 224
exemple: par ~ for example
exprès: je ne l'ai pas fait ~ ! it was an accident 10; **en ~** express/special delivery 154
extincteur fire extinguisher
extrêmement extremely 17

face: en ~ de opposite 12, 95
facile simple 14; gentle 106
facteur *(poste)* postman
facteur *(crème solaire)* factor 143
faim: j'ai ~ I'm hungry
faire: ~ beau be a nice day 122; **~ de la randonnée** go backpacking; **~ du tourisme** go sightseeing; **~ la cuisine** cook; **~ la queue** queue 112; **~ une promenade** go for a walk 124
falaise cliff 107
famille family 66, 74, 120
fantastique brilliant 101
fatigué tired
faune et flore wildlife
fauteuil roulant wheelchair
faux wrong 14; **~ numéro** wrong number 128
fax fax 154
félicitations! congratulations!
femme wife 120, 163; **~ au foyer** housewife 121; **~ de chambre** maid 27; **~ de ménage** cleaner 28
fenêtre window 25, 77
fermé closed 14, 132
fermer shut/close 100, 132, 140; **quand est-ce que vous fermez?** when do you shut?
fermeture centrale central locking 90
ferry ferry 81, 123
fête foraine fairground 113
feu fire; **au ~ !** fire! 224; *(électrique)* light 83; **~ de recul** reversing light 91; **~ rouges** (des freins) brake light 90; **~ anti-brouillard** fog lamp 90; **~ arrière** rear light 82; **~ de détresse** warning light 90
février February 218
fiancé(e) fiancé(e)
fiche form 23, 139
fièvre feverish 164
fil dentaire dental floss
fille daughter 120, 163; girl 120, 156
film film 108; **~ alimentaire** cling film 149
fils son 120, 163
filtre filter 152; **~ à air** air filter 91; **~ à huile** oil filter 91
finir end 108
fixe-au-toit roof-rack
flash (électronique) (electronic) flash 152
fleur flower 106
fleuriste florist 130
foie liver 166
fois: une ~ once 13; **premiere ~** first visit 119

foncé dark 134, 144
fontaine fountain 99
football football 115
forêt forest 107
formidable great 19
formulaire form 162
fort strong/loud; **plus ~** louder 128
foulé sprained 165
four oven; **~ à micro-ondes** microwave oven 158
fourchette fork 39, 149
frais fresh 41
français French 11, 161, 224
France France 119; **en ~** in France 12
frein brake 83; **~ à main** handbrake 91
frère brother 120
frites chips 38, 160
froid cold 14, 41, 122
fromage cheese 43, 48, 160
fruits fruit 48; **~ de mer** seafood 45
fuire drip 25
fumer smoke 126
furoncle boil 141

G

galerie de peinture art gallery 99
gallois *(du pays de Galles)* Welsh
gant glove; **~ de toilette** flannel
garage *(atelier de réparations)* garage 88
garantie guarantee 135
garçon boy 120, 156
garde d'enfants baby-sitting 113
garde-boue mudguard 82
garder: gardez la monnaie! keep the change!
garderie playgroup 113
gare (railway) station 73, 84, 96; **~ principale** main station 80; **~ routière** coach station 78
gâteau cake 40
gauche left 12, 76, 95
gaz gas; **ça sent le ~ !** I smell gas!
gazeuse fizzy 51
genou knee 166
gens people 119
gentil(le) kind
gilets de sauvetage life belts 81
givre: il y a du ~ it is frosty 122
glace ice cream 40, 160; **~ au chocolat** choc-ice 110
glacière coolbox
glaçons ice 38
glande gland 166
gonflé swollen
gorge throat 166
grammes grams 159
grand big 14; **~ lit** double bed 21; **~ magasin** department store 130
Grande-Bretagne Great Britain (GB)
grand-parents grandparents
gras *(cheveux)* greasy
gratuit free 17
grave serious
grec Greek 35
grill steak house 35

A-Z

grillé grilled
grille-pain toaster
gris grey 144
gros large 40
grotte cave 107
groupe group 66, 100, 156; **~ sanguin** blood group
guêpe wasp
gueule de bois hangover 142
guichet ticket office 73
guide guide 98, 100; **~ audio** audio guide 100; **~ des spectacles** entertainment guide; **~-souvenir** souvenir guide 155
guidon handle bars 82
guitare guitar

H

habiter live 119
habitude: d'habitude usually 122
hall d'entrée foyer
handicapé handicapped 164; disabled 22, 100
hasard: par ~ by chance 17
héberger: pouvez-vous me héberger pour la nuit? can you put me up for the night?
hémorroïdes haemorrhoids
heure hour 13, 97; o'clock 13; **à quelle ~ ?** what time? 76, 98; when?13; **de bonne ~** early 13; **à l'~** on time 76; **à l'~ juste** on the hour 76; **~ de pointe** rush hour; **par ~** per hour 154
heures: ~ d'ouverture opening hours 100; business hours 132; **~ de consultation** surgery hours 163; **~ de visite** visiting hours
heureusement fortunately 19
hier yesterday 218
hippodrome racecourse 115
hiver winter 219
homme man
homosexuel(lle) homosexual
hôpital hospital 131, 165, 167
horaires *(des trains)* timetable 75
horrible awful 122
hors-d'œuvre appetiser/starter 43
hot dog hot dog 110
hôtel hotel 12, 20, 21, 84, 123; **~ de ville** town hall 99
huile oil
huit eight 216
humidité/humide damp
hypermarché hypermarket
hypermétrope long-sighted 167

I

ici here 12
îles Anglo-Normandes Channel Islands
îles Shetland Shetland Islands
illégal illegal
imperméable raincoat 145
impoli rude
indigestion indigestion
indiquer direct 18
inégal *(terrain)* uneven 31
infection infection; **~ vaginale** vaginal infection 167
inférieure lower 74
infirmière nurse
infraction au code de la route traffic offence

ingénierie engineering 121
innocent innocent
inscrire write down
insecte insect 25
insister: j'insiste I insist
insolation sunstroke 164
insomnia insomnia
instant: un instant, s.v.p. just a moment, please 128
instructions instructions 135
insuline insulin
intéressant interesting 97, 101
internet internet 154
interprète interpreter 93 162
interrupteur on/off switch
intersection junction
intestins bowel
invitations invitations 124
iodine iodine
irlandais Irish
Irlande Ireland; **République d'Irlande** Eire; **Irlande du Nord** Northern Ireland
italien Italian 35

J

jamais never 13
jambe leg
jante rim 82
janvier January 218
jardin garden; **~ botanique** botanical garden 99
jauge gauge; **~ d'huile** oil gauge 91; **~ de carburant** fuel gauge 91
jaune yellow 144
jet lave-glace windscreen washer 90
jeu game 156; **~ d'échecs** chess set 156; **~ video** video game
jeudi Thursday 218
jeune young 14
joli nice
jouer: je joue I play 121
jouet toy 156
jour day 23, 97; **en ... jours** in ... days 13; **tous les jours** every day 13
journal newspaper 151
journaliste journalist
journée day 122
joyeux Noël! Merry Christmas! 219
juif Jewish
juillet July 218
juin June 218
jumelles binoculars
jupe skirt 145
jus juice; **~ d'orange** orange juice 43; **~ de fruit** fruit juice 51
jusqu'à until 221
juste right 14

K

kilo kilo 159
kilométrage mileage 86
klaxon horn 82, 91

L

là-bas there 12; over there 76
lac lake 107
lacets shoe laces

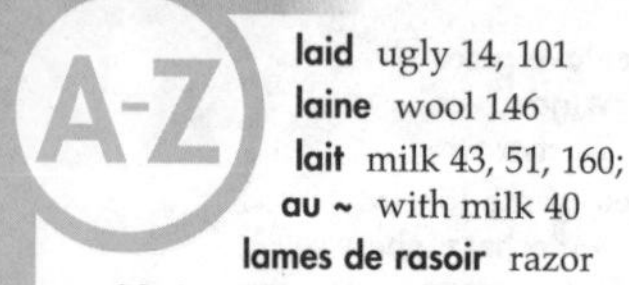

laid ugly 14, 101
laine wool 146
lait milk 43, 51, 160; **au ~** with milk 40
lames de rasoir razor blades 143
lampe de poche torch 31
landau push chair
langue tongue 166
laque hair spray 143
large wide 14
lavabo sink 25
lavette dish cloth 149
laxatif laxative
leçon lesson 116
lecteur de CD CD-player
léger light 14, 134
légumes vegetables 38
lent slow 14
lentement slowly 11, 17, 94; **plus ~** more slowly 128
lentille (de contact) (contact) lens 167
lequel?/laquelle? which one? 16
lessive washing powder 149
leur them/theirs 16
levier lever; **~ de vitesse** gear lever 82, 91
lèvre lip 166
librairie bookshop 130
libre free 14, 124
lieu: au ~ de instead of
ligne line 78, 80
limitation de vitesse speed limit
limousine limousine
lin linen 146
lingettes baby wipes 143
liqueur liqueur
liquide: en ~ by cash 136
liquide vaisselle washing up liquid 149
lire reading 121
lit bed 22; **~ d'enfant** cot 22; **lits jumeaux** twin beds pl 21
litre litre 87, 159
livre book 151
livre half a kilo 159
livrer deliver
location de voiture car hire 70, 86
logement self catering 28
loger stay 123
loin far 95, 130; **c'est ~ ?** how far? 95
long long 147
longueur length
lotion lotion; **~ après-rasage** after shave 143; **~ après-soleil** after-sun lotion 143
louer rent 83; hire 86, 116, 117
lourd heavy 14, 134
lui him; **à ~** his 16
lumière light 25
lundi Monday 218
lune de miel honeymoon; **nous sommes en lune de miel** we're on honeymoon
lunettes glasses 167; **~ de protection** goggles; **~ de soleil** sunglasses

M

ma mine
machine à laver washing machine 29

mâchoire jaw 166
magasin shop 130; ~ **d'alimentation** the minimart 159; ~ **d'artisanat** craft shop; ~ **de chaussures** shoe shop; ~ **de photos** camera shop 131; ~ **de vêtements** clothes shop 131
magazine magazine 151
magnétoscope video recorder
mai May 218
maillet mallet 31
maillot de bain swimsuit 145
main hand 166
maintenant now 13, 84
maison house; ~ **de vacances** cottage 28
maître d'hôtel headwaiter 41
maître-nageur lifeguard 117
mal: j'ai ~ I'm in pain 167; **j'ai** ~ **au/à la/à l'...** my ... hurts 163; **j'ai** ~ **ici...** it hurts here 164; ~ **à l'estomac** stomachache 164; ~ **à l'oreille** earache 164; ~ **à la gorge** sore throat 164; ~ **à la tête** headache 164; ~ **au dos** backache 164; ~ **aux dents** toothache 168; ~ **de gorge** a sore throat 142; ~ **de mer: j'ai le** ~ **de mer** seasick: I feel seasick; **ça fait** ~ it's sore
malade ill 164, 224; **je suis malade** I'm ill
malentendu: il y a eu un ~ there's been a misunderstanding
malheureusement unfortunately 19
manche sleeve 145, 165
mandat money order
manger eat 167
manquer missing 162
manteau coat 145
manucure manicure 148
maquillage make-up
marchand: ~ **de journaux** newsagent 151; ~ **de légumes** greengrocer 131; ~ **de livres** bookshop
marché market 99, 131
marche: équipement pour la marche walking/hiking gear
marcher *(fonctionner)* work 25
mardi Tuesday 218
mari husband 163
mariage wedding
marié married 120
marionettes *(spectacle)* puppets
marmite cooking pot
marron brown 144
mars March 13, 218
marteau hammer 31
mascara mascara
matelas mattress; ~ **pneumatique** air mattress 31
matériel equipment 116
matin morning; **le** ~ in the morning 140; **du** ~ a.m.
matinée *(représentation)* matinee 109
mauvais bad 14, 126
mécanicien mechanic 88
médecin doctor 131, 163
médicaments medicines 165
meilleur best
membre *(d'un club)* member 112
même: le/la même the same 144
menu menu 37

A-Z

mer the sea 107
merci thank you 10, 94, 129, 224; **~ beaucoup** thank you very much 10
mercredi Wednesday 218
mère mother 120
mes mine
message message 27, 154
messe mass 105
mesures measurement
métal metal
météo weather forecast 122
métro underground / tube 80
mettre put; **~ son clignotant** indicate; **ou puis-je ~ ...?** where can I put ...?
meubles furniture
midi midday / noon
miel honey 43
mieux better 14
migraine migraine
mille thousand 217
million million 217
mince thin 14
minuit midnight 13
minute minute 221
mirroir mirror
mobylette moped 83
moderne modern 14
moi: à ~ mine 16; **c'est à ~** it's my turn 133
moins que (ça) less than (that) 15
mois month 218
moitié half 217
mon my 16
monastère monastery 99
moniteur instructor
monnaie currency 67; change 84, 87; **petite ~** small change 138
montagne mountain 107
montant amount 42
montre watch 150, 162
montrer show 94, 99, 133
monture frame (glasses)
morceau piece 159
morceaux de viande meat dishes 46
mordu: j'ai été mordu par un chien I've been bitten by a dog
mosquée mosque 105
mot word 19
moteur engine
moto motorbike 83
mouche fly (insect)
mouchoir handkerchief; **mouchoir en papier** tissue 143
mousse pour cheveux hair mousse 143
moustache moustache
moutarde mustard 38
moyen medium 106, 122; **portion moyenne** medium portion 40
muscle muscle 166
musée museum 99
musicien musician
musique music 111
musulman Moslem
myope short-sighted 167

N

natation swimming 115
nationale national

nationalité nationality

nausée nausea

né born 119; **je suis né(e) à** I was born in

neige snow 117

neiger snow 122

nettoyage cleaning 137; **service de ~** laundry service 22

nettoyer clean 137; **~ à sec** dry-clean

neuf new 14

neuf *(chiffre)* nine 216

neveu nephew

nez nose 166

nièce niece

noier: quelqu'un se noie someone is drowning

noir black 40, 144; **~ et blanc** *(pellicule)* black and white 152

nom name 23, 93

non no 10

non alcoolisé non-alcoholic

non gazeuse still 51

non-fumeur non-smoking 36

nord north 95

nos our 16

note bill 32, 42

notre our 16

nourriture food 41

novembre November 218

nuageux cloudy 122

nuit night 24; **rester une ~** stay overnight 23

numéro number; **~ d'immatriculation** car registration number 23, 93; **~ de téléphone** telephone number 127; **désolée, faux ~** sorry, wrong number

O

objectif lens 152

occasion: d'~ second hand

occupé occupied 14

occuper: s'occuper de see to 25

octobre October 218

œil eye 166

œufs eggs 43, 160

office office; **~ du tourisme** information office 96; tourist information 97

offre spéciale special offer

oiseau bird 106

ombragé shady 31

oncle uncle 120

onde wave

onze eleven 216

opéra opera 108, 111; opera house 99

opération operation

opticien optician 167

or gold 150

orageux thundery 122

orange orange 144

orchestre orchestra/band 111

ordinaire *(essence)* regular 87

ordinateur computer

ordonnance prescription 140

oreille ear 66

oreiller pillow 27
oreillons mumps
original genuine 134
orteil toe 166
os bone 166
ou or
où where 12, 26; **~ est...?** where is...? 94; **d'~** where from 119; **~ avez-vous mal?** where does it hurt? 165; **~ se trouve...?** where is...? 99
ouest west 95
oui yes 10
ours *(en peluche)* teddy bear 156
ouvert open 14, 100, 132
ouvre-boîtes can opener 149
ouvre-bouteilles bottle opener 149
ouvrir open 132, 140, 165
ovale oval 134

P

P.C.V. reverse the charges 127
paiement paying 100
paille straw (drinking)
pain bread 38, 43, 160; **~ grillé** toast 43
paire pair 146, 217
palais palace 99
palpitations palpitations
pancarte signpost
panier *(supermarché)* basket 157
panne breakdown 88; **~ d'essence** out of petrol 88; **ma voiture est tombée en ~** I've had a breakdown 88
panneau sign 93, 95, 96
panorama sights
pantalon trousers 145
pantoufles slippers 146
papéterie stationer's
papier paper; **~ aluminium** aluminium foil 149; **~ toilette/ hygiénique** toilet paper 25, 29, 143
paquet packet 159
paquet de cigarettes a packet of cigarettes 151
par: ~ jour per day 30, 83; **~ nuit** per night 21; **~ semaine** per week 30, 83
paralysie paralysis
parasol sun umbrella 117
parc park 96, 99; **~ d'attraction** theme park
parce que because 15
parcmètre parking metre 87
pardon! sorry! 10, 224; *(excusez-moi)* excuse me 10; **pardon?** what did you say? 11, 224
pare-brise windscreen
pare-choc bumper 90
parents parents 120
pari *(sur chevaux)* bet 115
parking car park 26, 87, 96
parlement parliament building 99
parler talk 11; speak 161, 224; **~ à** speak to 18
partager share (room)
partir leave 32; *(hôtel)* check out; *(transport)* depart
pas: ~ encore not yet 13; **~ mal** not bad 19; **~ question!** you must be joking! 19

passage: ~ piéton zebra crossing; **~ souterrain** underpass 96
passe-bus travel card 79
passeport passport 17, 23, 32, 66, 139, 162
passer: se passer happen 93, 162
patient patient (in hospital)
patinoire skating rink
patins *(à glace)* skates
pâtisserie cake shop 131
patron manager 41
payer pay 17, 42, 67, 87
pays country (nation)
pays de Galles Wales
peau skin 166
pêche: aller à la ~ to go fishing
pédale pedal 82, 91
peigne comb 143
peindre paint
peintre painter
pelle spade 156
pellicule film 152
pelouse grass, lawn
pendant during; **~ la semaine** on weekdays 13
pendule clock 150
pension guesthouse 20; **~ complète** full board 24
perdre loose 27, 28, 162; **~ connaissance** be unconscious 92
perdu lost 71, 224; **j'ai perdu ...** I've lost ... 94
père father 120
perle de culture pearl 150
permanente permed 148
permis de conduire driving licence 85, 93
personnes âgées senior citizens 74
peser: je pèse ... I weigh ...
petit small 14, 24; **~ bassin** paddling pool 113; **~ déjeuner** breakfast 23, 24, 26, 34, 43
petits pains rolls 160
pétrole paraffin 31
peu: un ~ a little 15
peut-être perhaps 19
phare headlamp 82, 90
pharmacie chemist 131, 140; **~ de garde** all-night chemist 140
photo photo 152; **~ d'identité** passport size photo 116; **prendre un ~** photo, to take a
photocopieur photocopier 154
photographe photographer
pic peak 107
pièce *(monnaie)* coin; **~ d'identité** identification
pièces de rechange parts 89; replacements parts 137
pied foot 66; **à ~** on foot 17, 95
pile battery 137, 150, 152
pilule pill 167; *(contraceptive)* (the) Pill
pince à épiler tweezers
pinces à linge clothes pegs 149
pipe *(fumer)* pipe (smoking)
pique-nique picnic
piquets de tente tent pegs 31
piqûre a sting 141; injection 168; **~ d'insecte** insect bite 141, 142; **~ de moustique** mosquito bite

A-Z

pire worse 14; **(le/la/les) pire** worst
piscine swimming pool 22, 26, 117; **~ couverte** indoor swimming pool 117; **~ découverte/en plein air** open air swimming pool 117; **~ pour enfants** children's pool 117
piste cyclable cycle path 106
placard cupboard
place place 29; seat 77, 108; square 95
plage beach 116; **~ de galets** pebbly beach 117; **~ de sable** sandy beach 117
plaire like 101, 135; enjoy 110; **ça me plaît** I like it 101; **ça ne me plaît pas** I don't like it
plaisanterie joke
plan map; **~ de la ville** map of the town 151; town plan 96
planche à voile surfboard 117
plante plant
plaque d'immatriculation licence plate 90
plaqué or/argent gold/silver plate 150
plaquette de frein brake pad 82, 91
plat *(cuisine)* course (meal) 43; **plats de viande** meat dishes 46
plat: plus plat more level 31
plateau tray
platine platinum 150
plein full 14; **~ de carburant** full up 87
pleuvoir rain 122
plomb: sans ~ unleaded 87
plombage filling 168
plombier plumber
plongée: combinaison de ~ wetsuit
plonger dive 117
plus more; **~ que** more than 15
pneu tyre 83
poêle frying pan 29
point: ~ de rassemblement muster station 81; **~ de vue** viewpoint 107
pointure size 116
poison poison
poisson fish 44
poissonerie fishmonger 131
poitrine chest 166
poivre pepper 38
police police 92, 161
pommes de terre potatoes 38, 47
pompe pump 82; **~ à essence** pump 87
pompiers fire brigade 92
pont bridge 95, 107
port harbour
porte door 25
porte-clefs key ring 155
porte-monnaie purse 162
portefeuille wallet
porteur porter 71
portion portion 40; **~ enfant** children's portion 39
posologie dosage instructions 140
possible: le plus tôt ~ as soon as possible
poste extension 128; **~ restante** poste restante 153
pot (de confiture) jar (of jam) 159

pot d'échappement exhaust pipe 82, 90
potage soup 44
poterie pottery
poubelle dustbins 30
pouce thumb 166
poumon lung
poupée doll 156
pour for
pourboire gratuity
pourquoi? why? 15; **~ pas?** why not? 15
pourriez-vous ...? could you ...? 11
poussette push-chair
pouvez-vous ...? can you...? 18
pouvoir can 18
préféré favourite
premier first 75, 217; **première classe** first class 74
prendre have 125; take 135, 140; **~ des photos** take photographs 98, 100; **~ rendez-vous** make an appointment 163
prénom first name 23
près (de) near 12, 92 95
présentations introductions 118
présenter introduce 118
préservatifs condoms 142
presque almost
pressé: être ~ be in a hurry 15; **je suis pressé** I'm in a hurry
pressing dry cleaner 131
prêt ready 17, 89
prêter: pourriez-vous me prêter ...? could you lend me ...?
prêtre priest
prévenir notify 167
prie: je vous en prie don't mention it 10
printemps spring 219
priorité right of way 93
prise plug 149; **~ de sang** specimen of blood 165; **~ électrique** socket
prison prison
prix price 24, 74
probablement probably 19
problème problem 28
prochain next 75, 218
proche near 92; **le/la plus ~** the nearest 130
produits: ~ de beauté cosmetics; **~ de nettoyage** cleaning products 149; **~ de toilette** toiletries 157; **~ surgelés** frozen foods 158
professeur teacher
profession: quelle est votre profession? what do you do?
profond deep
promenade walk 106; **~ en bateau** boat trip 97
prononcer pronounce
propre clean 14, 41
propriétaire owner
protestant Protestant 105
provisions provisions 160
prudent: soyez prudent! be careful!
puce flea
puis then 13
pyjama pyjamas

A-Z

Q

quai platform 73, 76
quand when 13
quantité allowances 67
quart quarter 217; **~ d'heure** quarter of an hour 221
quatorze fourteen 216
quatre four 15, 216
quatrième fourth 217
quelqu'un someone 16; **il y a ~ qui parle français?** does anyone speak French?
quelque chose something 16
quelquefois sometimes 13
quelques a few 15
question question
qui? who? 16; **à ~ ?** whose? 16
quinzaine fortnight
quinze fifteen 216
quotidiennement daily 13

R

radiateur heater
raisin grapes 160
ralentissez! slow down! brake!
randonnée hiking
rapide quick 14
rapidement quickly 17
raquette racket 116
rare rare (unusual)
rasoir razor 26; **~ électrique** electric shaver
rayons spokes 82
réception reception 26
réceptioniste receptionist
réchaud de camping primus stove 31
réclamations complaints 41
recommander recommend 21, 35, 37, 97, 112, 142
reçu receipt 32, 42, 89, 152
réduction discount 24; reduction 74, 100
réfléchir think about 135
réflecteurs reflectors 82
réfrigérateur fridge 29
regarder *(exposition etc)* look around 100
régime: je suis au régime I'm on a diet
région region 106
règles periods 167; **~ douloureuses** period pains 167
rein kidney 166
reine queen; **la Reine** the Queen
religion religion
remplir fill in 139
rencontre encounter 126
rendez-vous appointment 148, 163; **point de ~** meeting point 12
renseignements information 70, 97; *(téléphone)* Directory Inquiries 127
rentrer go home 65; **~ à pied** walk home 65
réparations repairs 89, 137
réparer repair 89, 137
repas meals 23, 24, 42, 125; **~ pour végétariens** vegetarian meals 39; **~ pour diabétique** meals for diabetics 39
repasser press 137
répéter repeat 11, 94, 128

A-Z

représentant de vente sales rep
réservation booking 21
réserver reserve 28, 36, 81, 98, 109
réservoir fuel tank 82
respirer breathe 92, 165
ressemelage shoe repair
rester stay 23
retard delay 70; **en ~** late 221
retirer *(de l'argent)* withdraw 139
retourner *(en voiture)* go back 95
retraité pensioner 100; retired 121
retrouver: je vous retrouve I'll join you; **se ~** meet 125
rétroviseur mirror 82; **~ extérieur** wing mirror 90
réveil alarm clock 150; **appel de ~** wake-up call
réveiller wake 27
revenir get back 98
revoir see again 126
rez-de chaussée ground floor 132
rhumatisme rheumatism
rhume a cold 142, 164; **~ des foins** hay fever 142
rideaux curtains
rien nothing/none 16; **~ d'autre** nothing else 15
rire laugh 126
rivage shore
rivière river 107
robe dress 145
robinet tap 25; **~ d'arrêt** stop cock 28
romantique romantic 101
rond round 134; **~-point** roundabout
rose pink 144
rôti roasted
roue wheel; **~ avant/arrière** front/back wheel 82; **~ de secours** spare wheel 91
rouge red 144; **~ à lèvres** lipstick
Royaume-Uni United Kingdom (UK)
rue principale high street 96
rues commerçantes shopping area 99
ruisseau stream 107

S

s'il vous plaît please 10, 224
sa his 16
sable sand
sabot de Denver wheel clamp 87
sac bag 67, 157; **~ à dos** rucksack 31, 146; **~ à main** handbag 145, 162; **~ de couchage** sleeping bag 31; **~ photo** camera case 152; **~ plastique** plastic bags; **~ poubelle** refuse bags 149; **~ vomitoire** sick bag 70
sacoche de bicyclette bicycle bag 82
saigner bleed 163
sais: je sais I know 15
salade salad 38
sale dirty 14
salé salty
salle room; **~ à manger** dining room 26, 29; **~ d'attente** waiting room 73; **~ de bains** bath(room) 21, 26, 29; **~ de change** *(pour bébé)* changing facilities 113; **~ de concerts** concert hall 111; **~ de départ** departure lounge; **~ de jeux** play room

salle de séjour living room 29
salon living room 29
salut! hello/hi! 10, 224
salutations greetings 10
samedi Saturday 218
sandales sandals 146
sandwich sandwich 40
sans without
santé! cheers!
sauce sauce 38
saucisse sausage 46, 160
sauf except
savoir know 15
savon soap 27, 143
scooter des mers jet-ski 117
seau bucket 156
secrétaire secretary
secours: au secours! help! 224
sécurité safety 65, 139; **je ne me sens pas en ~** I don't feel safe 65
sédatif sedative
sein breast 166
seize sixteen 216
séjour stay 32
sel salt 38, 39
self-service self-service 87
selle saddle 82
semaine week 13, 23, 24, 97, 218
semelle sole (shoes)
sentier (foot)path 107; **~ de randonnée** walking route 106
sentir: se sentir feel like 165
séparé separated 120
séparément separately 42
sept seven 216
septembre September 218
séropositif HIV-positive
serrure lock 25
service service 42, 133; **~ de chambres** *(hôtel)* room service 26; **~ de nettoyage complet** valet service
serviette napkin 39; **~ de bain** bath towel 27; **~ en papier** paper napkin 149; **~ hygiénique** sanitary towel 143
servir: se servir de use 127
ses his 16
seul alone 120
shampooing shampoo 143; **~ et mise en plis** shampoo and set 148
siège seat 74, 75; *(voiture)* **~ pour enfant** child seat
signaler report 161
signature signature 23
signer sign 139
silencieux quiet 14; *(voiture)* silencer 91
situation location 95
six six 216
skis skis; **~ nautiques** waterskis 117
slip underpants 145; **~ de bain** swimming trunks 145
smoking dinner jacket
snack bar snack bar 73
sœur sister 120
soie silk
soif: j'ai soif I'm thirsty

soins: ~ de beauté health and beauty 148; **~ du visage** facial products 148
soir evening 112; **le ~** in the evening 140; **ce ~** tonight 124
soirée party 124; evening 126
sol ground 31
soliste soloist 111
sombre dark 14, 24
sommet top
somnifère sleeping pill
son his 16
sonnette bell 82
sorte: quelle ~ de? what kind of?
sortie exit 83, 132; **~ de secours** emergency exit 132
sortir go out
soupe soup 44
sourd deaf 164
sous under; **~-sol** basement; **~-titrage** subtitle 110
soutien-gorge bra 145
souvenir: je ne me souviens pas I don't remember
souvenirs souvenirs 98
souvent often 13
spécialiste *(médecin)* specialist 165
spécialités régionales local dishes 37
spectacle show 112
spectateur spectator 115
sport sport 114, 121
stade stadium 96
starter choke 91
station station; **~ de métro** underground station 80, 96; **~ de taxi** taxi rank 96; **~ de vacances** holiday resort; **~-service** petrol station 87
stationnement parking
statue statue 99
store blind 25
stupéfiant stunning/amazing 101
stylo bille pen 151
sucette dummy
sucre sugar 38, 39
sucrée sweet (taste)
sud south 95
suffire: ça suffit that's enough 19
suis: je suis I am
Suisse Switzerland 119
suisse Swiss 161
super brilliant 19
superbe superb 101
supérieur upper 74
supermarché supermarket 131, 157
supplément supplements 68
supplémentaire extra 22
suppositoires suppositories 166
sur le dessus top 148
sûr: étes-vous sûr? are you sure?
surchauffer overheat
surveiller supervise 113
symptômes symptoms 164
synagogue synagogue 105
synthétique synthetic 146

A-Z

T

ta your 16
tabac tobacco 151; **~ à pipe** pipe tobacco
table table 112; **~ pliante** folding table
tableau painting
taie d'oreiller pillow case
taille size 147
talc talcum powder
tampons tampons 143
tante aunt 120
tapis carpet; **~ de sol** (camping) groundsheet 31
tard late 14; **plus ~** later 125
tarif charge 30
tasse cup 39, 149
taux: ~ de change exchange rate 138; **~ de pollen** pollen count 122
taxi taxi 32, 84
toi: à toi yours 16
teinte shade 144
télécarte phone card 154
téléphone telephone 22, 27, 92; **~ payant** payphone
téléphoner telephone 161; call 92
télévision television 22; **~ par câble** cable TV
témoin witness 93
température temperature 165
temporaire temporary 89
temps weather 15, 122; **~ libre** free time 98; **de ~ en ~** occasionally
tension blood pressure 165
tente tent 30, 31
tenu: ~ de soirée formal dress 111; **~ de ville** informal (dress)
terrain: ~ de golf golf course 115; **~ de sports** sports ground 96
terrible terrible 101
tes your 16
tête head 166
thé tea 40, 51, 157
théâtre theatre 96, 99, 110
thermomètre thermometer
ticket de caisse receipt 136
tiers third 217
timbre stamp 151, 153
tire-bouchon corkscrew 149
tissu fabric 146
toilettes toilet 25, 26, 29, 39, 96, 224
toit roof; **~ ouvrant** sunroof 90
tomber en panne have a breakdown 88
ton your 16
torchon tea towel 155
torticolis stiff neck
tôt early 13, 14; **plus ~** earlier 125
totalement totally 17
toujours always 13
touriste tourist
tourner turn 95
tournevis screwdriver 149
tous all; **~ les jours** daily
tousser cough 165
tout: ~ de suite immediately 13; **~ droit** straight ahead 95
toutes les heures every hour 76
toux cough 142
toxique poisonous

traducteur translator
traduction translation
traduire translate 11
train train 13, 72, 123
traiteur caterer
tram tram
transit: en ~ passing through 66
traumatism crânien: il a un ~ he has concussion
travers, à through
treize thirteen 216
très very 17; **~ bien** fine 19
triangle triangle
trois three 15, 216; **~ fois** three times 217
troisième third 217
trop too 41, 93; too much 15; **~ vite** too quickly 17
trottoir pavement
trou hole (in clothes)
trouver find 18
tuba *(plongée)* snorkel
tunnel tunnel
turc Turkish 35
tuyau drain
TVA VAT (value added tax) 24

U

ulcère ulcer
un one 15, 216
uni plain (not patterned)
uniforme uniform
unité unit 154
université university 99
urgent emergency 127
utile useful 19

V

vacances holidays 66; trip 123
vacciné vaccinated 165
vaisselle crockery 29, 149
valeur value 154; **de grande ~** valuable
valide valid 136
valise case 69; **faire les valises** pack
vallée valley 107
valve valve 90
végétarien vegetarian 35, 39
veilleuse pilot light
veine vein 166
vélo bicycle 162; **~ à 3 vitesses** three-gear bicycle 83
vendeur shop assistant
vendredi Friday 13, 218
venir: ~ chercher pick up 109, 113
vent: il y a du ~ it is windy 122
vente sales 121
ventilateur fan 91
verglas: il y a du ~ (it is) icy 122
vérifier: pourriez-vous ~ please check
véritable real 150
verre glass 37, 39, 40, 149; lens 167
vers towards 12; around 13
verser des arrhes require a deposit 83
version: ~ originale in the original language 110
vert green 144
vertige: avoir le ~ feel dizzy
vessie bladder 166
veste jacket 145

vestiaire cloak room 109
vêtements clothing 144
viande meat 41, 46
vide empty 14
vieux old 14
vigne vineyard 107
ville town 12, 17; **vieille ~** old town 96, 99
vin wine 49, 160; **~ blanc** white wine 40; **~ rouge** red wine 40
vingt twenty 216
viol rape 161
violet purple 144
visa visa
visage face 166
visière visor 82
visite: ~ guidée guided tour 100; **~ touristique** sightseeing tour 97
visiter visit 123
vite fast 17
vitre window 90
vitrine window/display cabinet 150
vivre ensemble live together 120
voici: le/la ~ here it is 17
voilà: le/la ~ there it is 17
voie ferrée railway
voilier sailing boat
voir see 18, 98
voiture car 12, 17, 81, 85, 86, 123; **~ de location** hire car 162; **~ automatique** an automatic 86; **en ~** by car 95
vol *(dérober)* robbery 71; theft 162
vol *(avion)* flight; **~ charter** charter flight; **~ libre** hang-gliding; **~ normal** scheduled flight
volant steering wheel 90
volé stolen 162
voleur thief; **au ~ !** stop thief! 224
voltage voltage
vomir vomit 164; **je vais vomir** I'm going to be sick
vos your 16
votre your 16
voudrais: je ~ I'd like 18, 129, 159
vouloir dire mean 11
vous you; **à ~** yours 16
voyage journey 76; **~ d'affaires** business trip 123; **~ en bateau** boat trip 81
voyager travel
vrai: c'est vrai that's true; **ce n'est pas vrai** that's not true
vraiment? really? 19
VTT mountain bike 83
vue: avec ~ sur la mer with a view of the sea

W

wagon coach 75; **~-couchette** sleeping car 77; **~-lit** sleeping car 74; **~-restaurant** dining car 75, 77
WC toilet 29
weekend weekend 218

y a-t-il ...? is there ...? 17
yacht yacht
yaourt yoghurt
zéro zero 216
zone piétonnière pedestrian precinct 96
zoo zoo 113
zut! damn! 19

A-Z Lexique
Anglais – Français

Ce lexique anglais-français couvre tous les domaines dans lesquels vous pourriez devoir décoder l'anglais écrit: hôtels, édifices publics, restaurants, magasins, billetteries et transports. Il vous aidera également à comprendre les formulaires, plans, étiquettes de produits, signaux routiers et les notices d'utilisation (pour téléphones, parcomètres, etc.).

Si vous ne rencontrez pas le signe exact, il se peut que vous trouviez des mots clés ou termes énoncés séparément.

A

A-road route nationale (RN)
a.m. le matin
abseiling descente en rappel
access (to residents) only réservé aux riverains
accommodation logement/locations
according to season selon saison
admission free entrée gratuite
advance bookings réservations faites à l'avance
after sun lotion après-soleil
air conditioned climatisé
air pump station de gonflage
air stewardess hôtesse de l'air
airport aéroport
aisle seat siège (près de l')allée
alternative route itinéraire bis
amp: 5 amp cinq ampères
amusement park parc d'attractions
angling pêche à la ligne
antique shop magasin d'antiquités
apartment building résidence
April avril
arrivals arrivées
ask at reception adressez-vous à la réception
ask for a receipt exigez votre reçu
at least au moins
August août
automatic doors fermeture automatique des portières
autumn automne

B

B-road route départementale
baby wear layette
back stairs escalier de service
baggage check consigne manuelle
baggage claim retrait des bagages
baker boulangerie
bank banque
bank charges frais d'opérations
Bank Holiday jour férié
barber coiffeur pour hommes
bargains bonnes affaires
bathing hut cabine de bain
bathing caps must be worn bonnets de bain obligatoires
bathroom salle de bains
baths bains publics
battle site lieu de bataille
bay baie
beauty care soins de beauté
bed & breakfast chambre d'hôte
beer bière
before ... avant ...
before meals avant les repas
begins at ... commence à ...
best before date date de fraîcheur

best before end ... à consommer de préférence avant fin ...
best served chilled servir froid
between ... and ... entre ... et ... *(l'heure)*
beware of the dog chien méchant
bishop évêque
blackspot point noir
block of flats immeuble
blood group groupe sanguin
boarding card carte d'embarquement
boarding now embarquement en cours
booklet (of tickets) carnet
bookshop librairie
borough arrondissement
bottle bank conteneur verre
bowls pétanque
box office guichet
bread pain
break glass in case of emergency casser la vitre en cas d'urgence
breakdown services société de dépannage
breakfast petit déjeuner
breakfast room salle de petit déjeuner
bridge pont
brother frère
bungalow pavillon de banlieue
bungee-jumping saut à l'élastique
bus lane couloir d'autobus
bus route ligne de bus
bus shelter abribus
bus stop arrêt de bus
business district quartier d'affaires
business hours heures d'ouverture
butcher boucherie
buy 2 get 1 free 2 pour le prix d'1
bypass rocade

C

cabin decks pont cabines
cancelled annulé
capsules gélules
car deck pont des véhicules
car registration number numéro d'immatriculation
car rental location de voitures
caravan caravane
caretaker concierge/gardien
cash espèces/liquide
cash machine distribanque/distributeur automatique
cashiers caissiers
cashpoint libre-service bancaire
castle château
caution attention
cave grotte
cemetery cimetière
change at ... changer à
check in enregistrement
check-in counter comptoir d'enregistrement
checkout caisse
cheese fromage
chemist pharmacie
children enfants
Christmas Noël
church église
city wall enceinte
clearance liquidation
cliff falaise
close the door fermer la porte
closed fermé
closed for refurbishment fermé pendant les travaux
closed for annual holiday fermeture annuelle
closed to traffic circulation interdite
closing down sale soldes avant changement d'activités

A-Z

coach autocar
coast côte
cobbler cordonnier
coin pièce
cold froid
reverse-charge call PCV
colourfast grand teint
comics revue de bandes dessinées
commencing ... à partir de ...
computers ordinateurs
confectioner confiseur
conference room salle de réunion
connection correspondances
conservation area site classé
consult your doctor before use ne pas consommer sans avis médical
consulting room consultations
contains no ... ne contient pas de ...
contest concours
continuous performance cinéma permanent
convention hall palais des congrès
cook from frozen cuisson sans décongélation
cooking recommendations conseils de préparation
courthouse palais de justice
crash helmet casque
crash helmets obligatory port du casque obligatoire
cross-country skiing ski de fond/de randonnée
crossing croisement
cruises croisières
currency bought at ... on achète à ...
currency exchange change
currency sold at ... on vend à ...
curtain up lever de rideau
customer information information clientèle
customer parking parking clients/clientèle
customer service service clientèle
customs douanes
customs control contrôle des douanes
cycle lane/path piste cyclable

D

dairy crémerie
dairy products produits laitiers
danger danger
date of birth date de naissance
day off jour de fermeture
dead slow roulez au pas
dead-end sans issue
deck chair chaise longue
deep end grand bassin
delayed en retard
delicatessen charcuterie
deliveries only livraisons uniquement
department rayon
department store grand magasin
deposits and withdrawals dépôts et retraits
dial numérotez
dial number composez le numéro
dial your PIN code composez votre code confidentiel
dial ... for an outside line pour obtenir un numéro à l'extérieur, composez le ...
dial ... for reception composez le ... pour obtenir la réception
diesel gazoil
diet régime
dining room salle à manger
direct line ligne directe
directions orientations
directory annuaire téléphonique
disconnected débranché
discount rabais
discount store braderie
dish of the day plat du jour

dishwasher-proof passe au lave-vaisselle
dissolve in water laisser fondre dans l'eau
diversion itinéraire de déviation
diving board plongeoir
DIY store magasin de bricolage
do not block entrance entrée – ne pas stationner
do not burn ne pas brûler
do not disturb ne pas déranger
do not expose to sunlight ne pas exposer au soleil
do not iron ne pas repasser
do not lean out of windows ne pas se pencher hors des fenêtres
do not leave baggage unattended ne laissez pas vos bagages sans surveillance
do not leave valuables in your car ne pas laisser d'objets de valeur dans les voitures
do not talk to the driver ne pas parler au conducteur
doctor médecin
doctor's/dentist's surgery cabinet médical/dentaire
don't forget to ... n'oubliez pas de ...
donations dons
doors close ... minutes after performance begins les portes seront fermées ... minutes après le début de la représentation
dosage posologie
downstairs en bas
drawbridge pont basculant
dress circle premier balcon
drinking water eau potable
drinks boissons
drive carefully soyez prudent
drive on the left roulez à gauche
driver conducteur/conductrice
driving licence permis de conduire
drops gouttes
dry spin essorage
dry-cleaner's nettoyage à sec/pressing
dual carriageway route à quatre voies
dubbed doublé
during services pendant le service
duty-free goods marchandises hors-taxes
duty-free shop boutique hors-taxes

A-Z

E

e.g. p.ex.
east(ern) (d')est/(de l')orient
Easter Pâques
Easter Monday Lundi de Pâques
Easter Sunday Dimanche de Pâques
easy-cook préparation rapide
electrical goods électro-ménager
electricity meter compteur électrique
elevator ascenseur
embassy ambassade
emergency secours
emergency brake frein de secours
emergency exit sortie de secours
emergency medical service SAMU
emergency number numéro de secours
emergency services services de secours
end of hard shoulder fin de BAU
end of no parking zone fin d'interdiction de stationner
end of roadworks fin de travaux
enter to the rear/front entrer par la porte arrière/avant
entrance entrée
estate agent's agence immobilière
EU (non-)citizens citoyens (non-) européens

A-Z

evening service office du soir
event événement
exact change montant exact
exact fare prière de présenter la somme exacte
except on ... sauf le ...
excess baggage excédent de bagages
exchange échange
exchange rate cours du change
exit sortie
exit to the rear/front sortir par la porte arrière/avant
expiry date date d'expiration
express checkout caisse rapide/éclair
express mail Chronopost®
express parcel post Colissimo

F

factory outlet magasin d'usine
fair foire
falling rocks chutes de pierres
farm ferme
fasten your seat belt attachez vos ceintures (de sécurité)
fat content matière grasse
fat-free maigre
fault faille *(geol.)*
February février
fiction romans
field champ
fire door porte anti-incendie
fire exit sortie de secours
fire extinguisher extincteur
fire station caserne de pompiers
firefighters pompiers
fireworks feux d'artifice
first floor premier étage
first aid premiers secours
first class première classe
fish poisson
fishing rod canne à pêche
fishmonger poissonnerie
fitting room cabine d'essayage
flavouring parfum
flea market marché aux puces
flight information informations de vol
flight number numéro de vol
florist fleuriste
flour farine
for ... days pendant ... jours
for beginners pour débutants
for greasy/normal/dry hair pour cheveux gras/normaux/secs
for hire à louer
for inquiries, see ... pour tous renseignements, s'adresser à ...
for two pour deux personnes
forbidden .interdit
foreign étranger
foreign currency devises étrangères
foreign languages langues étrangères
forest forêt
formal wear habit de rigueur
four-star super *(essence)*
free gratuit
free gift cadeau gratuit
freephone number numéro vert
freepost ne pas affranchir
freight only réservé au fret
French français
French spoken on parle français
fresh frais
from ... to ... de ... à ...
frozen congelé
frozen foods produits congelés
fruit juices jus de fruits
full board pension complète
full up complet
furnished accommodation meublé
furniture ameublement/meubles

A-Z

G

gale warning avis de coup de vent
gallery poulailler
games room salle de jeux
garden centre jardinerie
garden flat rez-de-jardin
gate (boarding) porte (d'embarquement)
general practitioner généraliste
gentlemen messieurs *(toilettes)*
gifts cadeaux
give way cédez le passage
gold or
goods cannot be refunded or exchanged ni repris, ni échange
gradient pente
green card carte verte
greengrocer marchand de légumes
grocer épicerie
ground floor rez-de-chaussée
guest house pension de famille

H

hairdresser coiffeur
hairdryer sèche-cheveux
half board demi-pension
half price à moitié prix
hand wash only lavage à la main
hand-sewn cousu main
handmade fait main
hard-shoulder bande d'arrêt d'urgence
hardware shop quincaillerie
haulage depot gare routière
headroom/height restriction ... m hauteur limitée à ... m
health clinic centre médico-social
health foods produits diététiques
health-food shop magasin diététique
heavy goods vehicle poids lourd
height above sea level altitude par rapport au niveau de la mer
helpline SOS amitié
here ici
high voltage haute tension
hill colline
hobbies and interests loisirs
holiday timetable horaires de vacances
home address adresse domicile
home furnishings décoration
homemade fait maison
horse riding équitation
horsepower CV
hospital hôpital
hot chaud
hour heure
hour: 24-hour service ouvert 24 heures sur 24
house to rent maison à louer
household linen «le blanc»/linge de maison
housing estate lotissement
hunting chasse

I

ice-skating patinage
icy glacée
icy road route verglacée
ID card carte d'identité
improved amélioré
in case of breakdown, phone/contact ... en cas d'accident, prière de téléphoner à.../de contacter...
in the event of fire en cas d'incendie
included (in the price) compris
indoor intérieur/couverte
indoor swimming pool piscine couverte
industrial estate complexe industriel

A-Z

infirmary infirmerie
information desk bureau d'information/renseignements
insert card/coins introduire carte/ les pièces
insert coin insérez pièce
insert credit card insérez votre carte
insert money in machine and remove ticket mettre la pièce et prendre le ticket
insert ticket insérez votre billet
instructions for use mode d'emploi
intensive care soins intensifs
intercity trains grandes lignes
interference with other drugs interactions médicamenteuses
intermediate level niveau intermédiaire
iron fer

J

jam confiture
January janvier
jet ski skooter des mers
jetfoil hydroptère
jeweller bijoutier
July juillet
June juin

K

keep clear stationnement gênant
keep gate shut refermer la barrière
keep in a cool place à conserver au frais
keep off the grass ne pas marcher sur les pelouses
keep out défense d'entrer
keep out of reach of children ne pas laisser à la portée des enfants
keep to the left serrez à gauche
keep to the right serrez à droite
keep your receipt for exchange or refund pour tout échange, conservez votre ticket de caisse
keep your receipt/ticket conservez votre ticket de caisse/titre de transport
keys while you wait clé minute
kitchen cuisine
knock frapper

ladies dames *(toilettes)*
lake lac
lane ruelle
large grand
last call embarquement immédiat
last petrol station before the motorway dernière station essence avant l'autoroute/la voie rapide
latest entry at ... p.m. dernière entrée à ...
laundry blanchisserie
leaded avec plomb
leather cuir
leave keys at reception déposer vos clés à la réception
leave your bags here laisser vos sacs à l'entrée du magasin
leave your car in first gear restez en première
let passengers off first laisser descendre les passagers
library bibliothèque
lifebelt ceinture de sauvetage
lifeboats radeaux de sauvetage
lifejackets gilets de sauvetage
lift receiver décrochez
lighthouse phare
linen lin

listed building classé monument historique
listed historic building monument classé
load limit charge maximum
long vehicle convoi exceptionnel
long-term parking parking longue durée
loose chippings gravillons
lorry camion
lost property objets perdus/trouvés
lottery loto
lounge salon
Ltd. SA
luggage allowance poids de bagages autorisé
luggage lockers consigne automatique

machine washable lavable en machine
made in ... fabriqué en ...
made to measure fait sur mesure
made to order fait sur commande
magazine revue
maiden name nom de jeune fille
mailshot envois en nombre
main road route nationale
manager directeur
manor house manoir
March mars
market marché
May mai
meeting point point de rendez-vous/rencontre
men hommes
menswear hommes
microwaveable passe au micro-ondes
midnight minuit
mind the gap *(métro)* attention station en courbe
mind the step attention à la marche
minimum charge prise en charge
Miss Mlle (Mademoiselle)
moisturiser for oily/dry skin crème peaux grasses/sèches
Monday lundi
money off réduction
monthly mensuel
mosque mosquée
mother mère
motorway autoroute
motorway access début d'autoroute
motorway exit fin d'autoroute
motorway junction échangeur d'autoroute
mountain montagne
mountaineering alpinisme
Mr M (Monsieur)
Mrs Mme (Madame)
multipack lot
multi-story car park parking à étages
museum musée

N **name of spouse** nom de l'époux/l'épouse
narrow road route étroite
national insurance card carte d'assuré social
net weight poids net
network réseau
New Year Nouvel an
New Year's Day le jour de l'An
New Year's Eve la Saint-Sylvestre
new titles/new releases nouveautés
new traffic system in operation nouvelle signalisation
news nouvelles

A-Z

newsagent maison de la presse
newspapers only conteneur papier
next collection at ... prochaine levée à ... h
night bell sonnette de nuit
night nuit
night porter portier de nuit
no access passage interdit
no access for cyclists and motorcyclists interdit aux deux roues
no access to car decks during crossing l'accès aux véhicules est interdit pendant la traversée
no ball games jeux de ballon interdits
no children under ... interdit aux enfants de moins de ...
no credit cards on n'accepte pas les cartes de crédit
no discounts prix nets
no diving plongée interdite
no entry entrée interdite/sens interdit
no exit sortie interdite
no fires/barbeques feux interdits
no fishing pêche interdite
no intervals sans entracte
no littering interdiction de déposer des ordures
no overtaking ne pas doubler
no parking stationnement interdit
no photography appareils photo interdits
no running ne pas courir
no service charge included le service n'est pas compris
no smoking on car decks ne pas fumer dans le pont des véhicules
no standing places assises seulement
no stopping arrêt interdit
no unaccompanied children interdit aux mineurs non accompagnés
non-returnable non consigné
non-smoking non-fumeurs
non-stop to ... sans arrêt jusqu'à ...
noon midi
north(ern) (du) nord
not included non comris
not to be taken internally pour usage externe
not to be taken orally ne pas avaler
note your parking space number notez le numéro de votre emplacement
nothing to declare rien à déclarer
novels romans
nudist beach plage nudiste
number plate plaque minéralogique
nurses infirmières

O

o'clock h.
of your choice au choix
oil huile
on sur
on an empty stomach à jeun
one-way street rue à sens unique
one-way aller-simple *(billet)*
only seulement
open ouvert(ure)
open air en plein air
open-air swimming pool piscine découverte
open here ouvrir ici
open until/on ... ouvert le/les ...
operator standardiste
optician opticien/optique
other directions autres directions
out of order hors service

p pence (1/100 d'une livre)

p.m. l'après-midi/le soir
P.O. Box BP
paid (with thanks) avec nos remerciements
Palm Sunday Rameaux
paperbacks livres de poche
paragliding parapente
parcels paquets
parish paroisse
parking for train users parcotrain
parking metre horodateur/parcmètre
parking permitted stationnement autorisé
parking ticket PV
parties welcome groupes acceptés
pass (mountain) col
pasta pâtes
path sentier
pavilion pavillon
pay at counter payer au guichet
pay at the metre payez à l'horodateur
pay cash payer comptant
pay on entry payez en entrant
pay phone téléphone payant
payable to ... payez à l'ordre de ...
peak sommet
pedestrians piétons
pedestrian crossing passage piétons
per day par semaine
per week par semaine
performance représentation
permit-holders only permis obligatoire
petrol station station essence
phonecard carte téléphonique
picnic area aire de pique-nique
pills cachets
place of birth lieu de naissance
place ticket on windscreen placer le ticket derrière le pare-brise
plane avion
platform quai
please ... prière de ...
please ask for assistance demander un vendeur
please give up this seat to the old or infirm siège réservé aux personnes ayant des difficultés à se tenir debout
please ring the bell sonner, s.v.p.
please wait patientez
please wait behind barrier faire la queue derrière la barrière
please wipe your feet prière de s'essuyer les pieds avant d'entrer
pleasure steamers péniches
police (traffic) police (de la route)
police station commissariat (de police)
pond bassin/étang/mare
poor road surface chaussée déformée
port port
post office poste
postal orders mandats postaux
potholes nids de poules
pound (sterling) livre (sterling)
prayers prières
prescription ordonnance
preservatives conservateurs
press to open appuyer pour ouvrir
price prix
price per litre prix au litre
prices slashed ici on brade tout
private privé
private property propriété privée
public building administration
public gardens/park jardin public
pull for alarm manette du signal d'alarme
pump pompe à essence
push pousser

Q **quality standard** normes de qualité
quick sand sables mouvants

R **racetrack** hippodrome
railway crossing passage à niveau automatique/manuel
railway station gare (ferroviaire/SNCF)
ramps dos d'âne (en voie de formation)
reception bureau d'accueil
recommended conseillé
record dealer disquaire
reduced prices prix cassés
refreshments available rafraîchissements
refund remboursement
registered letter lettre recommandée
regular ordinaire *(essence)*
repairs réparations
request stop arrêt facultatif
reserved réservé
reservoir bassin d'alimentation
residents only riverains autorisés
return aller-retour *(billet)*
returnable consigné
right of way priorité à droite
ring road (outer/inner) périphérique (extérieur/intérieur)
risk of fog brouillard fréquent
river rivière
river bank berge
river boats bateaux-mouches
road route
road closed route fermée
road map carte routière
road under construction route en travaux
rock climbing escalade
room rate prix des chambres
room service service des chambres
rooms to let chambres à louer
roundabout rond-point
row rangée
rubbish papiers
running water eau courante

S **sailing club** club de voile
sailing instructor moniteur (de voile)
sale soldes
sale goods cannot be exchanged les soldes ne seront pas échangés
salt sel
Saturday samedi
savings bank caisse d'épargne
scale: ... échelle: ...
school école
sea mer
sea level niveau de la mer
season ticket carte d'abonnement
season ticket holders only réservés aux abonnés
seat number numéro de siège
seats upstairs salle en étage
second floor deuxième étage
second leg match retour
second-hand occasions
second-hand shop brocante(ur)
secondary school collège/école secondaire
select destination/zone choisir la destination/la zone
self-catering cottage gîte rural
self-service libre-service
sell-by date date limite de vente
sender exp./expéditeur

A-Z

service charge service
service in progress l'office a commencé
service included service compris
service not included service non-compris
service road contre-allée
service station station essence / service
serving suggestions nos suggestions
set menu menu fixe
shallow end petit bassin
shavers only prise pour rasoirs seulement
ship bateau
shockproof résiste aux chocs
shoes chaussures
shopping basket panier
shopping centre centre commercial
short-term parking parking courte durée
show spectacle
show your bags before leaving présenter vos sacs ouverts à la sortie du magasin
show your registration documents présentez vos papiers
showers douches
shuttle service navette
side effects effets indésirables
silk soie
skates patins à glaces
skiing track piste
slimmers' menu menu minceur
slow down ralentir
slow traffic circulation ralentie
small petit
smoking fumeurs
soft verges accôtements non stabilisés
soiled goods articles vendus avec défaut
sold out complet
south(ern) (du) sud
speed bumps ralentisseurs
speed limit limitation de vitesse
spring printemps
square place
stadium stade
stalls parterre
stamps affranchissements
stately home château
stationer papeterie
steamer bateau à vapeur
steel acier
stock exchange bourse
stopping service service omnibus
store guide plan du magasin
storm warning risque d'orages
stream ruisseau
street rue
student étudiant
studio atelier d'artiste
stylist coiffeur-visagiste
subject to availability selon arrivage / disponibilité
subtitled sous-titré
suburbs banlieue
sugar sucre
sugar-free sans sucre
suitable for vegetarians/vegans convient aux végétariens / végétaliens
summer été
sun block cream écran total
sun deck pont promenade
Sunday dimanche
sunglasses lunettes de soleil
supervised swimming baignade surveillée
surfboard planche de surf
surname nom de famille

A-Z

swimming natation
switch off éteignez/éteindre
switch on headlights allumez vos feux de route/croisement/phares

T

tailback: delays likely ralentissement
take after meals à prendre après les repas/à la fin des repas
take ticket prendre/prenez le ticket
take your money/card retirez votre argent/carte
take-away plats à emporter
taxi rank station de taxis
tear here déchirer ici
terminal aérogare
terraced house maison de village
thank you merci
thank you for your contribution merci pour vos dons
this afternoon cet après-midi
this evening ce soir
this machine gives change cet appareil rend la monnaie
this morning ce matin
this room needs making up la chambre a besoin d'être faite
this train stops at ... ce train desservira les gares de ...
Thursday jeudi
ticket billet
ticket agency agence de spectacles
ticket holders only accès réservé aux voyageurs munis de billets
ticket office guichet/bureau de vente (des billets)
tickets for tonight réservations pour la représentation de ce soir
tier gradin
times of collection heures de levée
timetable (summer/winter) horaires (d'été/d'hiver)
tip pourboire
today aujourd'hui
toll péage
toll booth station de péage
tomorrow demain
tourist office SI
town hall hôtel de ville
toy shop magasin de jouets
toys jouets
traffic from the opposite direction circulation opposée
traffic jams: delays likely bouchons
traffic-free zone interdit à toute circulation
travel agent agence de voyage
treatment room salle de soins
Tuesday mardi
Turkish bath hammam
turn off your engine arrêtez votre moteur
two-star normal *(essence)*
two-way street rue à double sens

U

UK RU (Royaume-Uni)
unauthorized vehicles will be towed away mise en fourrière immédiate
under construction en construction
underground métro
underground ticket inspector agent du métro
underground garage garage en sous-sol
underground passage passage sous-terrain
unleaded sans plomb
unleaded petrol essence sans plomb
until jusqu'à

updated remis à jour
upstairs en haut
use of horn prohibited ne pas klaxonner
use the underpass empruntez le passage souterrain
use-by date date de péremption
used tickets billets périmés

vacancies chambres libres
vacant libre
vacate your room by ... libérer votre chambre avant ...
vegetables légumes
view point point de vue
viewing gallery galerie
visiting hours horaires d'ouverture

wait for tone attendre la tonalité
wait for your ticket attendez votre billet
waiting room salle d'attente
walkway chemin
wall mur
war memorial monument aux morts
ward salle *(hôpital)*
warning attention
warning cattle! attention bétail!
wash bowl lavabos
wash separately laver séparément
waste point déchetterie
watchmaker horloger
water tap point d'eau
waterskiing ski nautique
way in entrée
way out sortie
we accept credit cards nous acceptons les cartes de crédit
we buy and sell ... nous achetons et revendons ...
weather forecast météo
Wednesday mercredi
weekdays jours de semaine
weekdays only la semaine seulement
weekly hebdomadaire
welcome! bienvenue!
well puits
west(ern) (d')occident/(de l')ouest
wet paint peinture fraîche
windmill moulin à vent
window seat fauteuil (près du) hublot
windsurfing planche à voile
wine tasting dégustation de vins
winter hiver
with bathroom avec salle de bains
with food/meals pendant les repas
with sea view avec vue sur mer
with shower avec douche
withdrawals retraits
within easy reach of shops/the sea proche des commerces/plages
without food en dehors des repas
women femmes
women's magazine journal féminin
wood bois
wool laine
world leader meilleur au monde
yard cour
yellow pages pages jaunes
youth jeunesse
youth hostel auberge de jeunesse

Général

Chiffres Numbers

En anglais on utilise un point pour les nombres décimaux, et les décimales sont énumérées une à une après le point.

13.56 **thirteen point five six**

On se sert de la virgule pour indiquer les milliers.

2,345,622 **two million, three hundred and forty five thousand, six hundred and twenty two**

0	**zero/«o»** *zi:rau/au*
1	**one** *ouann*
2	**two** *tou:*
3	**three** *THri:*
4	**four** *fo:*
5	**five** *faïv*
6	**six** *siks*
7	**seven** *sèveunn*
8	**eight** *éit*
9	**nine** *naïn*
10	**ten** *tèn*
11	**eleven** *ilèveunn*
12	**twelve** *touèlv*
13	**thirteen** *THeu:ti:nn*
14	**fourteen** *fo:ti:nn*
15	**fifteen** *fifti:nn*
16	**sixteen** *siksti:nn*
17	**seventeen** *sèveunnti:nn*
18	**eighteen** *éitti:nn*
19	**nineteen** *naïnti:nn*
20	**twenty** *touènti*
21	**twenty-one** *touènti-ouann*
22	**twenty-two** *touènti-tou:*
23	**twenty-three** *touènti-THri:*
24	**twenty-four** *touènti-fo:*
25	**twenty-five** *touènti-faïv*
26	**twenty-six** *touènti-siks*
27	**twenty-seven** *touènti-sèveunn*

28	**twenty-eight** *touènti-éit*
29	**twenty-nine** *touènti-naïn*
30	**thirty** *THeu:ti*
31	**thirty-one** *THeu:ti-ouann*
32	**thirty-two** *THeu:ti-tou:*
40	**forty** *fo:ti*
50	**fifty** *fifti*
60	**sixty** *siksti*
70	**seventy** *sèveunnti*
80	**eighty** *éiti*
90	**ninety** *naïnti*
100	**a hundred** *eu hanndreud*
101	**a hundred and one** *eu hanndreud eund ouann*
102	**a hundred and two** *eu hanndreud eund tou:*
200	**two hundred** *tou: hanndreud*
500	**five hundred** *faïf hanndreud*
1 000	**a thousand** *eu THaouzeund*
10 000	**ten thousand** *tèn THaouzeund*
35 750	**thirty-five thousand, seven hundred and fifty** *Theu:ti-faïf Thaouzeund sèveunn hanndreud eund fifty*
1 000 000	**a million** *eu milieun*

premier	**first** *feu:st*
deuxième	**second** *sèkeunnd*
troisième	**third** *THeu:d*
quatrième	**fourth** *fo:TH*
cinquième	**fifth** *fifTH*
une fois	**once** *ouannss*
deux fois	**twice** *tvaïss*
trois fois	**three times** *THri: taïmz*
moitié	**half** *ha:f*
une demi-heure	**half an hour** *ha:f eun aoueur*
un demi-réservoir	**half a tank** *ha:f eu tannk*
à moitié mangé	**half eaten** *ha:f i:teun*
un quart	**a quarter** *eu kouoteu*
un tiers	**a third** *eu THeu:d*
une paire de …	**a pair of …** *eu pair euv*
une douzaine de…	**a dozen …** *eu dazeun*
1999	**nineteen hundred and ninety-nine** *naïnti:n hanndreud eund naïnti-naïn*
2001	**two thousand and one** *tou: THaouzeund eund ouann*
les années 90	**the nineties** *THeu naïntis*

Jours Days

lundi	**Monday** *manndi*
mardi	**Tuesday** *tyou:zdi*
mercredi	**Wednesday** *ouènzdi*
jeudi	**Thursday** *THeu:zdi*
vendredi	**Friday** *fraïdi*
samedi	**Saturday** *sæteudi*
dimanche	**Sunday** *sanndi*

Mois Months

janvier	**January** *djænyoueuri*
février	**February** *fèbroueuri*
mars	**March** *ma:tch*
avril	**April** *éipril*
mai	**May** *méi*
juin	**June** *djou:n*
juillet	**July** *djou:laï*
août	**August** *o:gueust*
septembre	**September** *sèptèmbeu*
octobre	**October** *oktau:beu*
novembre	**November** *nauvèmbeu*
décembre	**December** *dissèmbeu*

Dates Dates

Nous sommes …	**It's …** *its*
le dix juillet	**the 10th of July** *DTHeu tènTH euv djou:laï*
mardi premier mars	**Tuesday, March the 1st** *tyou:zdi ma:tch DTHeu feu:st*
hier	**yesterday** *yèsteudéi*
aujourd'hui	**today** *teudéi*
demain	**tomorrow** *teumorau*
ce …/… dernier	**this …/last …** *DTHis …/la:st …*
la semaine prochaine	**next week** *nèkst oui:k*
tous les mois/ans	**every month/year** *èvri mannTH/yieu*
(pendant) le weekend	**(during) the weekend** *(dyou:rinng) DTHeu oui:kènd*

Saisons Seasons

printemps	**spring** *sprinng*
été	**summer** *sameu*
automne	**autumn** *o:teum*
hiver	**winter** *ouinnteu*
au printemps	**in spring** *inn sprinng*
pendant l'été	**during the summer** *dyou:rinng DTHeu sameu*

Souhaits et vœux Greetings

Bon anniversaire!	**Happy birthday!** *hæpi beu:THdéi*
Joyeux Noël!	**Merry Christmas!** *mèri krismeuss*
Bonne Année!	**Happy New Year!** *hæpi nyou: yieu*
Joyeuses Pâques!	**Happy Easter!** *hæpi i:steu*
Félicitations!	**Congratulations!** *konngrætyouléicheunnz*
Bonne chance!	**Good luck!** *goud lak*

Jours fériés Public holidays

Angleterre:

1er janvier	**New Year's Day** – Jour de l'an
mi-avril	**Good Friday** – Vendredi saint
	Easter Monday – lundi de Pâques
1er lundi de mai	**May Day** – Jour de mai
dernier lundi de mai	**Spring Bank Holiday** – fête du Printemps
dernier lundi d'août	**August Bank Holiday** – fête de l'Eté
25 décembre	**Christmas** – Noël
26 décembre	**Boxing Day** – lendemain de Noël

Dates varient en République d'Irlande et en Ecosse.
A noter que si une fête tombe un samedi ou un dimanche, l'usage veut que le lundi suivant soit chômé.

Au pays de Galles, on fête le **St David's Day** (Saint-David) le 1er mars.

En République d'Irlande et en Irlande du Nord, le **St Patrick's Day** (Saint-Patrick) le 17 mars.

En Ecosse, le 2 janvier est chômé et on fête le **St Andrew's Day** (Saint-Andrew) le 30 novembre.

Aux îles Anglo-Normandes, le **Liberation Day** (la Libération) le 9 mai.

Heures Time

En Grande-Bretagne, on a recours au système de douze heures. De minuit à midi, on fait suivre les chiffres des lettres **a.m.**, et de midi à minuit des lettres **p.m.** Mais pour les horaires, on utilise le système de 24 heures.

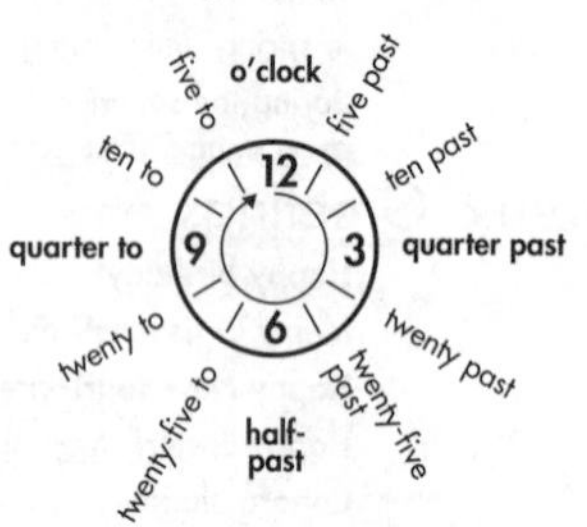

Pardon. Pouvez-vous me dire l'heure?	**Excuse me. Can you tell me the time?** *iks<u>kyou:z</u> mi: kæn you: tèl mi: DTHeu taïm*
Il est...	**It's ...** *its*
une heure cinq	**five past one** *faïv pa:st ou<u>ann</u>*
deux heures dix	**ten past two** *tèn pa:st tou:*
trois heures et quart	**a quarter past three** *eu kou<u>o:</u>teu pa:st THri:*
quatre heures vingt	**twenty past four** *tou<u>èn</u>ti pa:st fo:*
cinq heures vingt-cinq	**twenty-five past five** *tou<u>èn</u>ti faïv pa:st faïv*
six heures et demie	**half past six** *ha:f pa:st siks*
sept heures moins vingt-cinq	**twenty-five to seven** *tou<u>èn</u>ti faïv tou <u>sè</u>veunn*
huit heures moins vingt	**twenty to eight** *tou<u>èn</u>ti tou éit*
neuf heures moins le quart	**a quarter to nine** *eu kou<u>o:</u>teu tou naïn*
dix heures moins dix	**ten to ten** *tèn tou tèn*
onze heures moins cinq	**five to eleven** *faïv tou i<u>lè</u>veunn*
midi/minuit	**twelve o'clock (noon/midnight)** *tou<u>èlv</u> eu klok (nou:n/<u>mid</u>naït)*

à l'aube	**at dawn** *æt do:n*
le matin	**in the morning** *inn DTHeu mo:ninng*
pendant la journée	**during the day** *dyourinng DTHeu déi*
avant le repas	**before lunch** *bifo: lanntch*
après le repas	**after lunch** *a:fteu lanntch*
dans l'après-midi	**in the afternoon** *inn DTHi: a:fteunou:n*
dans la soirée	**in the evening** *inn DTHi: i:vninng*
la nuit	**at night** *æt naït*
Je serai prêt(e) dans cinq minutes.	**I'll be ready in five minutes.** *aïl bi: rèdi inn faïv minits*
Il sera de retour dans un quart d'heure.	**He'll be back in a quarter of an hour.** *hi:l bi: bæk inn eu kouo:teu euv eunn aoueu*
Elle est arrivée il y a une heure.	**She arrived an hour ago.** *chi: euraïvd eunn aoueu eugau*
Le train part à …	**The train leaves at …** *DTHeu tréinn li:vz æt*
treize heures quatre	**four minutes past one** *fo: minits pa:st ouann*
zéro heures quarante	**forty minutes past midnight** *fo:ti minits pa:st midnaït*
10 minutes en retard/en avance	**ten minutes late/early** *tèn minits léit/eu:li*
5 secondes d'avance/de retard	**five seconds fast/slow** *faïv sèkeunndz fa:st/slau*
de 9h à 17h	**from nine a.m. to five p.m.** *from naïn éi èm tou faïv pi: èm*
entre 8h et 14h	**between 8 a.m. and 2 p.m.** *bitoui:n éit éi èm ænd tou: pi: èm*
Je partirai avant …	**I'll be leaving by …** *aïl bi: li:vinng baï*
Est-ce que vous serez revenu(e)/de retour avant …?	**Will you be back before …?** *ouil you: bi: bæk bifo:*
Nous y serons jusqu'à …	**We'll be there until …** *oui:l bi: THè: eunntil*

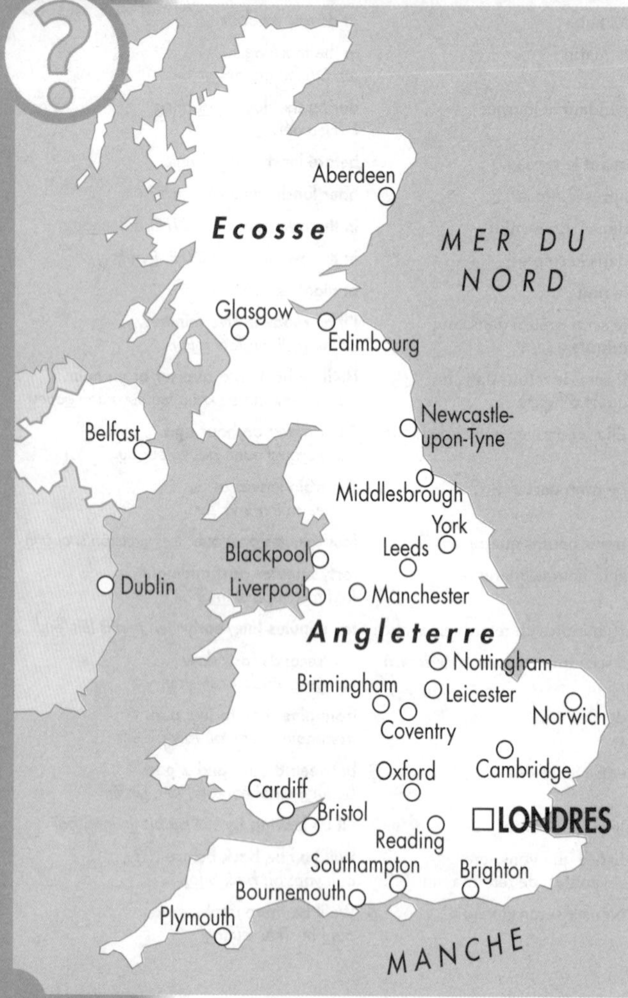
Aberdeen
Ecosse
MER DU NORD
Glasgow
Edimbourg
Belfast
Newcastle-upon-Tyne
Middlesbrough
York
Leeds
Blackpool
Dublin
Liverpool
Manchester
Angleterre
Nottingham
Birmingham
Leicester
Norwich
Coventry
Oxford
Cambridge
Cardiff
Bristol
LONDRES
Reading
Southampton
Brighton
Bournemouth
Plymouth
MANCHE

Londonderry

Irlande du Nord

Enniskillen

Newry

Belfast

République d'Irlande

Dublin

Limerick

Cork

En un coup d'œil Quick reference

Bonjour.	**Good morning.** *goud mo:ninng*
Bonjour.	**Good afternoon.** *goud a:fteunou:n*
Bonsoir.	**Good evening.** *goud i:vninng*
Bonjour/Salut.	**Hello!/Hi!.** *hèlau/haï*
Au revoir.	**Good-bye.** *goudbaï*
Excusez-moi. (pour avoir l'attention de quelqu'un)	**Excuse me.** *ikskyou:z mi:*
Pardon?	**What did you say?** *ouat did you: séi*
Pardon!	**Sorry!** *sori*
S'il vous plaît.	**Please.** *pli:z*
Merci.	**Thank you.** *THænk you:*
Est-ce que vous parlez français?	**Do you speak French?** *dou: you: spi:k frèntch*
Je ne comprends pas.	**I don't understand.** *aï daunt anndeustænd*
Où est ...?	**Where's ...?** *ouè:z*
Où sont les toilettes?	**Where are the toilets?** *ouè: a: DTHeu toïlits*

Urgences Emergency

Au secours!	**Help!** *hèlp*
Allez vous-en!	**Go away!** *gau euouéi*
Laissez-moi tranquille!	**Leave me alone!** *li:v mi: eulaun*
Appelez la police!	**Call the police!** *ko:l DTHeu peuli:ss*
Au voleur!	**Stop thief!** *stop THi:f*
Allez chercher un médecin!	**Get a doctor!** *guètt eu dokteu*
Au feu!	**Fire!** *faïeu*
Je suis malade.	**I'm ill.** *aïm il*
Je suis perdu(e).	**I'm lost.** *aïm lost*
Est-ce que vous pouvez m'aider?	**Can you help me?** *kæn you: hèlp mi:*

Urgences ☎ Feu/Ambulance/Police **999**

Ambassades et Consulates

	Londres	Edimbourg	Dublin
Français	71–201 1000	31–220 1276	1–260 1666
Canadien	71–258 6600	31–245 6013	1–478 1988
Belgique	71–470 3700	31–226 6881	1–269 2080